Populaire
(et repentie)

Catalogage avant publication de Bibliothèque et
Archives nationales du Québec et Bibliothèque et Archives Canada

Labonté-Chartrand, Martine, 1985-

Populaire (et repentie)

Pour les jeunes.

ISBN 978-2-89585-697-9

I. Titre.

PS8623.A263P663 2016   jC843'.6   C2016-940522-2

PS9623.A263P663 2016

Les Éditeurs réunis bénéficient du soutien financier de la SODEC
et du Programme de crédit d'impôt du gouvernement du Québec.

Nous remercions le Conseil des Arts du Canada
de l'aide accordée à notre programme de publication.

Financé par le gouvernement du Canada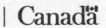

Édition :
LES ÉDITEURS RÉUNIS
lesediteursreunis.com

Distribution au Canada :
PROLOGUE
prologue.ca

Distribution en Europe :
DILISCO
dilisco-diffusion-distribution.fr

 Suivez Les Éditeurs réunis sur Facebook.

Imprimé au Québec (Canada)

Dépôt légal : 2016
Bibliothèque et Archives nationales du Québec
Bibliothèque nationale du Canada
Bibliothèque nationale de France

1
LE MARIAGE

Les premières notes de la marche nuptiale résonnèrent dans l'église et la foule se leva d'un coup. Tous les regards se tournèrent vers la porte près de laquelle la mariée attendait le signal pour descendre l'allée. Devant elle, Alizée, vêtue d'une robe lavande, avançait tranquillement, un sourire plaqué sur les lèvres. La superbe jeune fille évita de croiser le regard des gens réunis pour assister au mariage de sa mère avec Jacques. Elle avait honte pour Nancy. Franchement, s'exhiber de la sorte alors qu'elle était enceinte de plus de sept mois… c'était ridicule ! Et se marier à quarante-deux ans, c'était encore plus absurde ! Même si la jeune fille n'était pas trop en accord avec cette union, elle avait promis à sa mère qu'elle serait demoiselle d'honneur. Au moins, sa robe n'était pas si laide. Une fois rendue devant l'autel, Alizée se tassa d'un pas pour laisser la place à Nancy, rayonnante, qui s'avançait dignement vers Jacques qui, pour sa part, essuyait une petite larme au coin de son œil droit. La jeune fille analysa le marié. Il était toujours aussi quelconque, mais elle le trouvait tout de même très sympathique. Ils partageaient une drôle de complicité, tous les deux, ce qui plaisait vraiment à sa mère. Alizée se demandait si l'arrivée du nouveau bébé aurait des répercussions sur leur relation. La demoiselle d'honneur prit le bouquet que lui tendait la mariée et s'assit sur le premier banc, après avoir replacé la traîne interminable de Nancy. La robe de mariée était éblouissante, sa mère n'avait pas fait les choses à moitié, mais on aurait dit que son ventre allait exploser sous le satin crème. Encore une fois, Alizée se dit que l'événement ressemblait à une mascarade. Peut-être était-elle si négative parce qu'elle avait encore vécu une déception récemment ? Son esprit dévia pendant que le prêtre souhaitait la bienvenue à tous ceux et celles qui avaient pris la peine de se déplacer pour assister à la bénédiction de l'union de Jacques et de Nancy, en ce si beau jour du mois d'août...

Une fois passée l'annonce des terribles événements s'étant produits pendant la fête, les élèves de quatrième et de cinquième secondaire tentèrent tant bien que mal de se concentrer sur les examens finaux. Pendant les semaines précédant la fin de l'année, Alizée continua à se demander si elle devait dénoncer Lou aux autorités, puisqu'elle savait que son ancienne amie détenait des informations relatives à la drogue qui avait intoxiqué plusieurs jeunes filles. Finalement, comme Lou semblait avoir déménagé, Alizée préféra passer son information sous silence. Après tout, son ex-copine n'était pas la responsable directe de l'incident. Satisfaite de son choix, l'adolescente termina la session d'examens, déterminée à profiter au maximum de son été de congé. Toutefois, il y avait un élément qu'elle n'avait pas pris en compte dans son calcul : sa mère. Cette dernière, en congé forcé, n'avait pas du tout l'intention de regarder Alizée se tourner les pouces pendant un été complet, à ses frais en plus. Elle força donc sa fille à se trouver un emploi. Comme il était un peu tard pour trouver quelque chose d'intéressant, Alizée clama qu'il n'était pas question pour elle d'aller travailler dans un *fast-food* ou un autre endroit de la sorte. Plusieurs petites querelles s'ensuivirent jusqu'à ce que Jacques règle la situation. En effet, le club de golf auquel il était abonné recherchait un ou une employée, à temps partiel, pour enregistrer les départs et les arrivées. Comme il connaissait bien le propriétaire du club, il n'eut aucune difficulté à faire engager sa future belle-fille, qui possédait par ailleurs plusieurs atouts : elle était belle et la clientèle était majoritairement masculine ; elle était intelligente et habile avec les chiffres. Tout pour plaire à son futur patron ! À peine quelques jours après le début des vacances, Alizée commença donc son nouveau travail, sans savoir si elle était contente ou non. Il y avait quand même quelque chose de prestigieux à travailler dans un club de golf et, en plus, elle côtoyait régulièrement des gens qui avaient de l'argent et qui donnaient de généreux pourboires. Ses conditions de travail étaient assez bonnes. En plus, pendant les temps morts, elle avait le droit de s'exercer au golf. Elle se découvrit donc une passion insoupçonnée pour ce sport et eut même le plaisir de faire quelques rondes avec Jacques...

Un raclement de gorge ramena Alizée sur terre. Elle se leva rapidement et tendit les alliances à Jacques qui la remercia d'un sourire. Un peu embarrassée d'être dans la lune pendant la cérémonie, la jeune fille tenta de se concentrer sur l'échange de vœux, mais invariablement, ses pensées se tournaient vers cette journée si spéciale où elle avait rencontré Cédrick.

Alors qu'elle terminait une ronde de golf avec son beau-père, ce dernier l'invita à prendre une consommation non alcoolisée au bar du club. Alizée accepta ; il lui restait encore une heure à patienter avant d'entreprendre son quart de travail. Autant la passer à jaser avec Jacques. Les deux adoraient discuter de médecine et Alizée n'était pas gênée de lui exposer son rêve de devenir chirurgienne-plasticienne. Alors qu'ils se désaltéraient, l'attention de Jacques fut attirée par un jeune homme qui arrivait à grands pas vers eux. Quand elle le vit, la jeune fille faillit s'étouffer avec sa gorgée d'eau : il était beau à couper le souffle ! Il devait avoir entre vingt et vingt-cinq ans, avait les cheveux brun foncé et les yeux bruns, presque noirs. Le casque sous son bras démontrait qu'il était propriétaire d'une moto.

— Jacques ! s'exclama-t-il. Quel plaisir de te revoir !

— Cédrick ! répondit Jacques tout aussi enthousiaste. C'est toute une surprise ! Reviens-tu travailler ici ?

Aussitôt, Alizée tendit l'oreille. Serait-ce possible qu'elle travaille avec ce beau gars tout l'été ? Elle croyait rêver !

— Eh oui ! La session universitaire est terminée, j'ai eu le temps de voyager un peu, mais je n'ai pas le choix. Il faut bien que je gagne ma vie.

— Je te présente ma belle-fille, Alizée !

Généralement, Alizée n'aimait pas trop que Jacques la considère comme sa « belle-fille », mais cette fois-là fit exception. Elle fit son plus beau sourire à Cédrick et lui serra la main.

— Vous aurez l'occasion de vous voir souvent, cet été, continua Jacques, inconscient de l'effet que Cédrick avait sur sa « belle-fille ». Alizée aussi travaille au club de golf.

— Vraiment ! répondit Cédrick en la regardant de la tête aux pieds. C'est sûr qu'on aura l'occasion de se revoir, alors. Tu vas voir, on s'amuse toujours bien pendant l'été, surtout avec des clients comme Jacques.

L'interpellé rit de bon cœur et après quelques échanges impersonnels, Cédrick les salua et se dirigea vers l'accueil.

— Tu le connais bien ? demanda nonchalamment Alizée en prenant une gorgée d'eau, sans toutefois quitter Cédrick des yeux.

— Oh oui ! Il travaille ici depuis – il réfléchit – presque dix ans. Il devait avoir à peu près ton âge quand il a commencé. Il est dynamique et les clients l'adorent. Il donne des cours de golf privés, ça l'aide à payer ses études.

— Ah oui ? Dans quel domaine il étudie ?

— En médecine.

Alizée trépignait. Il était là, son beau médecin. Celui qu'elle s'était promis de marier il y avait de cela quelques mois. Pour l'instant, il était un peu trop vieux pour elle, mais elle était certaine qu'elle serait en mesure de le séduire quand même. Dans cinq ans, la différence d'âge passerait totalement inaperçue. Elle ne savait pas pourquoi, mais elle était convaincue qu'il pourrait facilement se passer quelque chose entre elle et Cédrick. Peut-être était-il son âme sœur ? Ça existait, le coup de foudre…

Les gens se mirent à applaudir dans l'église : Jacques et sa mère échangeaient le baiser qui scellait officiellement leur union. Alizée se joignit à la foule. Elle devait arrêter de penser à son été et reprendre son rôle de demoiselle d'honneur.

— Pis, Alizée, toujours pas de petit chum ?

La jeune fille leva les yeux au ciel. C'était au moins la quatrième personne – qu'elle connaissait à peine – qui lui posait cette question. Non ! Elle n'avait pas de « petit chum ». Est-ce que c'était la fin du monde ? Assise seule à la table des mariés, Alizée sirotait un verre de mousseux. Sa mère lui avait donné la permission, alors elle ne s'en privait pas. Le seul hic, c'est que les gens voyaient les places libres à côté d'elle comme une invitation à venir jaser, ce qui ne l'intéressait nullement. D'ailleurs, l'homme qui venait de lui demander si elle avait un copain n'avait qu'un seul but en tête et elle savait lequel : il souhaitait la « matcher » avec son fils, l'un des seuls jeunes présents pour l'événement. Le fils en question était loin d'être une icône de la mode. Grassouillet, et plus petit qu'elle, il avait l'air drôlement mal à l'aise dans son habit sans doute loué chez Moores pour l'occasion. Bravement – elle avait promis à Nancy d'être polie avec tout le monde – elle sourit à son interlocuteur et l'informa que son chum ne pouvait être présent pour la soirée, puisqu'il travaillait. La jeune fille avait déterminé que cette réponse était plus simple que d'expliquer au monde entier pourquoi elle était célibataire. C'était ça ou faire croire qu'elle était lesbienne pour qu'on lui sacre enfin la paix. Une fois seule à nouveau, elle fut un peu triste à la pensée qu'elle était venue au mariage de sa mère sans escorte, surtout que dans son plan initial, l'homme de ses rêves l'accompagnait. Pour être certaine que plus personne ne vienne s'adresser à elle, elle sortit son iPhone de sa minisacoche et se brancha sur Facebook. Elle poussa même l'audace jusqu'à mettre ses écouteurs, même si elle n'écoutait pas de musique. Pour la troisième fois de la journée, elle repensa à tout ce qui s'était passé pendant l'été.

Au cours de sa première semaine de travail, Alizée avait peu côtoyé Cédrick. De toute façon, elle était très occupée à apprendre les différentes tâches reliées à son travail. Son patron se rendit rapidement compte qu'elle était excellente au service à la clientèle et il augmenta ses heures. Pendant la journée, la jeune fille enregistrait les départs et distribuait les clés pour les voiturettes de golf tandis qu'en soirée, elle s'occupait de l'accueil. L'adolescente aimait beaucoup son travail et commença à l'adorer encore plus quand Cédrick fut lui aussi transféré à l'accueil. Le premier soir où ils travaillèrent ensemble, il lui dit qu'il avait constaté qu'elle s'améliorait au golf et que, si elle le désirait, il pouvait lui enseigner quelques techniques que même Jacques ne connaissait pas. Heureuse qu'il l'ait remarquée à ce point, elle accepta. Comme prévu, dans les jours qui suivirent, dès qu'ils avaient un moment libre en commun, Alizée rejoignait Cédrick et il lui montrait à mieux définir son jeu. À ce rythme-là, elle pourrait devenir une experte du golf en deux temps trois mouvements. La jeune fille adorait quand son instructeur la prenait par la taille ou se plaçait derrière elle pour lui montrer à bien se placer. C'était un moment délicieux et elle se plaisait à y songer le soir avant de se coucher.

— Ouf! Je suis épuisée. Ça ne paraît peut-être pas, mais je transporte vingt-cinq livres supplémentaires, ici! s'exclama Nancy en se laissant tomber sur la chaise à côté d'Alizée, la faisant sursauter du même coup.

Aussitôt, elle enleva ses écouteurs, ne voulant pas trop insulter sa mère. Après tout, ce n'était pas vraiment sa faute si son *party* était plate...

— Tu t'amuses bien? lui demanda Nancy.

— Hum! hum...

C'était la réponse idéale: ça ne voulait dire ni oui ni non. Voulant faire preuve de courtoisie, elle retourna la question à sa mère.

— C'est une journée parfaite! Je m'amuse comme une petite folle. Mais je trouve ça un peu ennuyant pour toi. Il n'y a personne de ton âge...

Elle regarda le garçon grassouillet avec qui on avait voulu «matcher» Alizée quelques minutes plus tôt.

— Je voulais dire: personne d'intéressant pour toi, rectifia Nancy.

La jeune fille éclata de rire. Elle adorait quand elle retrouvait l'ancienne Nancy, celle qui avait le jugement facile et qui n'avait pas peur de dire tout haut ce que les autres pensaient tout bas.

— Je t'avais dit, aussi, d'inviter une amie.

Alizée haussa les épaules. Quelle amie, exactement? Bon, elle s'était un peu rapprochée de Charlotte et de Sarah, mais pas assez pour les inviter au mariage de sa mère. Les filles du *cheers*? Elles n'étaient pas assez intimes non plus. Lou? Elle n'était même plus son amie. Ça ne lui laissait pas beaucoup d'options. Au fond, elle avait eu le cavalier idéal en tête... jusqu'à quelques jours plus tôt.

— Bon, je vais retourner danser, annonça Nancy.

— Tu ne penses pas que tu devrais te reposer un peu? Après tout, le bébé...

— Je vais très bien, ne t'inquiète pas. Si je me sens fatiguée, je vais m'asseoir.

Un mois plus tôt, le médecin de Nancy lui avait appris qu'elle pouvait reprendre ses activités normales. Alors qu'elle était enceinte de cinq mois, elle avait eu un pépin avec sa grossesse qui l'avait forcée à rester couchée pendant plusieurs semaines consécutives. Cela lui avait laissé le temps de planifier un mariage de rêve et, dès que le médecin avait donné son accord, Jacques et elle s'étaient empressés d'envoyer les faire-part. Alizée n'en revenait pas encore. Cela faisait moins d'un an que sa mère sortait avec son nouveau chum et voilà qu'elle était mariée et attendait un bébé. Jamais elle n'aurait cru cela possible ! Pendant une minute, elle regarda sa mère danser avec son gros ventre puis elle se replongea dans ses pensées. Même si elle souhaitait effacer Cédrick de sa tête, elle n'y arrivait pas. C'était d'autant plus difficile aujourd'hui, étant donné que le mariage avait justement lieu au club de golf où ils travaillaient. Alizée savait que si elle traversait la salle, sortait dans le hall, tournait à droite et se rendait jusqu'au bout du couloir, elle se retrouverait face à lui. Peut-être la trouverait-il totalement irrésistible dans sa belle robe lavande ? Elle secoua la tête pour mieux se résigner. Impossible que cela arrive, surtout après les derniers événements.

Plus le temps avançait, plus Alizée était satisfaite de son travail au club de golf. Enregistrer les départs et les arrivées n'était pas sorcier, mais ce qu'elle préférait, c'était quand elle se retrouvait à l'accueil, le soir, en compagnie de Cédrick. Entre dix-huit heures et vingt heures, généralement, c'était le calme plat. Les deux collègues avaient donc beaucoup de temps pour discuter et apprendre à se connaître. Cédrick était vraiment spécial parce qu'il ne s'adressait jamais à Alizée comme à une adolescente. Il la traitait d'égal à égal, en adulte, ce qu'elle trouvait vraiment plaisant. Il fallait dire que l'uniforme qu'elle portait pour travailler était très seyant et qu'il la faisait paraître beaucoup plus vieille qu'elle ne l'était réellement. Peu de gens savaient qu'elle n'était âgée que de seize ans et elle ne s'en vantait pas non plus. À force de travailler ensemble, Alizée et Cédrick développaient une belle complicité et se taquinaient ouvertement. Jamais la jeune fille n'avait été amie comme ça avec un garçon et, comme elle ne croyait pas vraiment en l'amitié gars-fille, elle en vint à se convaincre que Cédrick avait sûrement le béguin pour elle.

C'était même évident! Chaque fois qu'il passait près d'elle, il lui faisait un clin d'œil et quand il lui montrait une nouvelle position au golf, il lui effleurait la hanche. D'autre part, il s'intéressait toujours à elle et à ses activités. Tous ces indices démontraient qu'il avait développé une attirance pour elle, mais il s'interdisait sûrement de la lui révéler puisqu'elle était mineure. De son côté, la considération de l'âge ne la dérangeait nullement. Elle trouvait vraiment inutile d'attendre d'avoir dix-huit ans pour annoncer leur relation au grand jour, mais elle respectait tout de même la démarche de Cédrick. S'il voulait prendre son temps, c'était bien correct avec elle.

Un soir où leur quart de travail se terminait en même temps, Cédrick lui fit une proposition surprenante.

— Alizée, je vais faire un tour sur le terrain pour m'assurer que les arroseurs automatiques fonctionnent bien. Accompagne-moi donc!

Elle l'aurait accompagné jusqu'au bout du monde tellement elle était excitée par cette invitation. Elle sut toutefois contenir son émotion. Elle grimpa à ses côtés dans la voiturette de golf et ils partirent pour une promenade. Étrangement, il se montra très silencieux, lui qui faisait toujours des blagues, au point où Alizée se demanda pourquoi il l'avait invitée. Puis, elle se fit la remarque que deux personnes amoureuses devaient être à l'aise même dans les moments de silence. Elle profita donc du paysage autour d'elle, remarquant à quel point ce dernier était féérique au coucher du soleil. Cédrick arrêta finalement la voiturette en haut d'une butte qui surplombait le terrain entier. Au loin, quelques joueurs retardataires terminaient leur dix-huitième trou, mais ils s'éloignèrent tranquillement. Alizée et Cédrick semblaient maintenant seuls au monde.

— J'aime bien venir ici pour réfléchir, annonça le conducteur. On dirait que la beauté du paysage m'aide à prendre des décisions.

Alizée trouva d'abord qu'il avait une âme très poétique, puis elle se demanda pourquoi il lui tenait ces propos.

— As-tu une décision importante à prendre? demanda-t-elle.

Il lui fit un sourire en coin très séduisant, mais ne répondit pas à sa question.

— Tu peux tout me dire, insista-t-elle. Tu sais que je suis une personne de confiance.

Il lui donna une petite tape sur l'épaule.

— Non, ça va! Il y a beaucoup de changements prévus à l'horizon et je suis un peu nostalgique.

Mais je ne vais pas t'embêter avec mes problèmes, quand même… Continuons avant qu'il fasse trop noir !

Alizée se demanda s'il avait eu l'intention de lui déclarer son amour. Peut-être s'était-il dégonflé à la dernière minute ? La barrière de l'âge était-elle si difficile à franchir ? Elle décida que c'était à elle de faire la prochaine tentative. Après tout, elle ne lui avait jamais indiqué ouvertement qu'il l'intéressait. Ses signaux ne devaient pas être assez clairs. Peut-être que si elle l'invitait au mariage de sa mère et de Jacques, elle clari-fierait la situation ? Oui, c'était une bonne idée. En plus, il connaissait bien Jacques. Ce dernier serait très content qu'Alizée l'ait choisi comme cavalier. Satisfaite de son projet, elle se promit de lui lancer l'invitation une fois qu'elle aurait validé avec sa mère qu'il y avait bien une place dispo-nible pour lui à sa table. Pendant le restant de la ronde des arroseurs automatiques, alors que le jeune homme lui expliquait comment le système fonctionnait, plutôt que d'écouter, elle l'imagina à son bras, vêtu d'un bel habit pour l'occasion. Les photos de mariage seraient magnifiques avec Cédrick dans le portrait et, comme elle aurait l'air plus vieille avec sa robe et son maquillage, aucun invité ne se douterait qu'il avait presque dix ans de plus qu'elle. Au bout du parcours, Cédrick lui fit un sourire et lui tapota gentiment la main.

— C'était agréable de parcourir le terrain avec toi. On aurait dû le faire plus souvent, cet été! déclara-t-il.

Elle acquiesça, se disant qu'il connaissait sans doute tous les endroits intimes où ils auraient pu s'arrêter pour s'embrasser – et peut-être même plus! – discrètement. Sur ces belles paroles, il lui souhaita une bonne nuit et elle le regarda se diriger nonchalamment vers sa moto. Il lui fit un dernier sourire ravageur avant de mettre son casque. Sous le charme, Alizée le regarda partir, s'imaginant chevaucher l'engin avec lui, ses cheveux volant au vent.

— Viens danser, ma grande! l'invita sa mère. Tu ne vas pas rester toute la soirée toute seule à la table. Amuse-toi donc un peu!

Alizée lui fit un bref sourire. Elle avait bien essayé, mais le cœur n'y était pas. Les gens tournoyaient sur la piste et Jacques semblait même être en train d'inventer une nouvelle danse. Ce n'était pas très élégant, mais Nancy, elle, trouvait son nouveau mari très comique et elle l'encourageait en tapant des mains au rythme de la musique.

Le garçon grassouillet, pour sa part, s'était trouvé une cavalière : une dame qui devait avoir au moins cinquante ans. Cela fit rire un peu la jeune fille, mais elle avait hâte que la soirée se termine. Pendant combien de temps encore serait-elle prise dans cet endroit ? Elle songea à appeler Charles, pour qu'il vienne la chercher, mais c'était un peu déplacé. Non, il faudrait qu'elle attende que les mariés aient fini leur spectacle pour retourner se glisser sous ses draps, qu'elle n'avait presque pas quittés dans les derniers jours. Toujours en regardant Jacques en voie de se faire une entorse lombaire à cause de ses pas de danse, Alizée pensa à une réception qui avait eu lieu au même endroit le samedi précédent.

De retour à la maison, ce soir-là, Alizée tomba sur sa mère qui, justement, était en train de cacheter les invitations pour son mariage. Comme le délai entre l'annonce de la réception et la cérémonie était court, Nancy n'avait pas le temps de chômer. Alizée se dit donc que c'était le moment idéal pour demander à sa mère si elle pouvait venir accompagnée.

— Maman ?

— Oh! Ma chérie, tu tombes bien. Peux-tu m'aider à terminer ces enveloppes? Elles doivent partir à la levée du courrier demain matin.

Alizée s'installa à la table et entreprit d'apposer des timbres sur les enveloppes couleur lavande, comme sa robe.

— Tu voulais me poser une question? demanda Nancy après un moment de silence.

— Oui! Je me demandais si je pouvais venir accompagnée à ton mariage.

— Bien sûr! Tu veux inviter l'une de tes amies, peut-être?

— Non, en fait, je pensais à un gars qui travaille avec moi, répondit Alizée en baissant les yeux pour ne pas que sa mère voie son embarras.

— Ah! Je ne savais pas qu'il y avait des garçons de ton âge qui travaillaient au club de golf.

Comment sa mère faisait-elle pour être aussi perspicace?

— Il n'a pas mon âge. Il est un peu plus vieux que moi, expliqua Alizée, sans entrer dans les détails.

— Il va au cégep?

— Non, à l'université.

— À l'université? Voyons, il a quel âge?

— Hum, je ne suis pas sûre, mentit Alizée. Peut-être vingt-deux ou vingt-trois…

— Voyons, Alizée, ça n'a pas de bon sens, s'écria Nancy. Tu ne peux pas venir accompagnée d'un gars aussi vieux. De toute façon, je ne vois pas ce qu'il peut trouver à une jeune fille de ton âge…

— Maman, je suis très mature, tu sauras. Je fais bien plus que mes seize ans, s'exclama Alizée, de plus en plus furieuse.

— Bon. Calme-toi. Il s'appelle comment, ce gars-là?

— Cédrick, répondit la jeune fille tout bas.

— On parle de qui? les interrompit Jacques en entrant dans la cuisine.

— D'un Cédrick qui travaille avec Alizée et qui, supposément, veut l'accompagner à notre mariage, lui apprit Nancy.

— Cédrick? Voyons donc, Alizée, il a presque vingt-six ans. Il est bien trop vieux pour toi…

Alizée fit de gros yeux à Jacques, mais trop tard, le mal était fait. Nancy repoussa sa chaise et se leva en s'écriant:

— Vingt-six ans! Voyons Alizée, ça n'a pas de bon sens. Je ne peux pas tolérer ça. Pas question qu'il t'accompagne et je t'interdis de le fréquenter.

Alizée lança un dernier regard perçant à Jacques, qui aurait bien voulu se réfugier sous le plancher, avant de quitter la cuisine sans demander son reste. Après avoir claqué la porte de sa chambre, elle entendit Nancy tempêter dans la cuisine et menacer d'aller voir ledit Cédrick pour lui dire sa façon de penser. Jacques dit quelque chose à sa mère, mais Alizée n'entendit pas ses paroles. Toutefois, cela eut pour effet de calmer Nancy. Qu'est-ce qu'il pouvait bien lui avoir dit? S'il avait un truc magique pour faire taire sa mère, il fallait absolument qu'il le partage avec elle. Quoi qu'il en soit, son plan tombait à l'eau. Elle ne pouvait pas inviter Cédrick au mariage, mais rien ne l'empêchait de le convier à une petite soirée en tête-à-tête.

Enfin, le maître de cérémonie annonça la coupe du gâteau. Il commençait à être tard et la fin de la soirée approchait. Alizée regarda sa mère engouffrer un énorme morceau de gâteau et clamer haut et fort qu'il fallait qu'elle goûte pour deux, ce qui fit rire le public autant que si elle avait été humoriste. *Bon sang que les gens sont hypocrites,* pensa-t-elle. Jacques dégusta aussi sa part, plus petite, puis les invités se joignirent à eux pour goûter le chef-d'œuvre. Une jolie serveuse en remit un morceau à Alizée. La jeune fille déposa l'assiette sur la table et observa pendant un moment le morceau de gâteau avant d'en prendre une petite bouchée. C'était délicieux. Elle aurait aimé, elle aussi, le partager avec quelqu'un sous les flashs des appareils photos.

D'un pas assuré, Alizée se dirigea vers la réception du club de golf. Elle savait que Cédrick commençait son quart de travail quinze minutes avant elle. Il serait donc présent à son arrivée et, comme il pleuvait à l'extérieur, ce serait le calme plat. Elle aurait donc tout le temps nécessaire pour l'inviter à une sortie en bonne et due forme. C'était le moment ou jamais. Elle se figea net en arrivant à l'accueil. Ce n'était pas Cédrick qui se trouvait derrière le comptoir, mais Stan, le gérant.

— Tiens! Salut, Alizée. Ça va?

— Salut, Stan. Cédrick n'est pas là, ce soir?

— Non, il est en congé. Mais il va venir faire son tour quand même. Il m'a dit qu'il t'a montré le système d'arrosage automatique, hier.

— Euh, oui, c'est vrai.

— Parfait. Je comptais rajouter ce parcours à tes tâches, moyennant une petite augmentation de salaire. Est-ce que ça te convient?

Alizée hésita un moment. Elle n'était pas sûre de tout saisir.

— D'accord, répondit-elle finalement. Mais pourquoi Cédrick ne peut-il plus s'en occuper?

Elle fut interrompue par l'arrivée d'un client qui empêcha Stan de lui répondre. Elle alla donc rapidement enfiler son uniforme et rejoignit le gérant derrière le comptoir. Aussitôt, ce dernier s'éclipsa pour aller souper, laissant Alizée toujours sans réponse. Une heure passa, toujours pas de Stan ni de Cédrick à l'horizon. La jeune fille s'ennuyait ferme. Son compagnon et son sens de l'humour lui manquaient. Au moins, si elle était occupée… Comme si quelqu'un lisait dans son esprit, la porte s'ouvrit et un groupe de gars entra dans le club. Ils avaient l'air sur le party et ils trimbalaient une poupée gonflable, nue, sans doute achetée dans un *sexe-shop.* Derrière eux se tenait Cédrick, déguisé en fille pour l'occasion, le visage barbouillé de rouge à lèvres. Il fallut un moment à Alizée pour comprendre ce qui se passait sous ses yeux.

— Salut beauté! lui dit un des gars. On a réservé la salle pour l'enterrement de vie de garçon de notre ami Cédrick. Ou devrais-je dire «Cédricka»!

Ses amis éclatèrent de rire, comme si le fait de féminiser le prénom de Cédrick était trop drôle. Cédrick, penaud, jeta un bref coup d'œil à Alizée, un peu gêné que sa collègue de travail le voie attriqué de la sorte. Il n'avait pas prévu que ses amis l'emmèneraient sur son lieu de travail déguisé en fille. Il s'approcha tout de même du comptoir pour expliquer à Alizée le concept de son déguisement.

— C'est simple, dit-il, les gens paient un dollar, se mettent du rouge à lèvres, et m'embrassent où ils veulent.

Pourquoi lui expliquait-il cela? S'attendait-il à ce qu'elle sorte un dollar de sa poche et se mette du rouge à lèvres pour l'embrasser?

— Je ne comprends pas, Cédrick, tu te maries!

Elle avait parlé un peu fort, étant donné les circonstances, mais elle n'avait pu contrôler le son de sa voix.

— Euh oui! En effet, répondit-il. La semaine prochaine, ici même en plus.

— Je ne savais même pas que tu avais une blonde...

Elle avait presque les larmes aux yeux. Il fallait qu'elle se contienne, elle ne voulait pas s'humilier devant la gang de gars qui jouaient avec la poupée et faisaient des gestes obscènes qu'elle trouvait vraiment déplacés…

— Oui, j'ai une blonde. Une fiancée, plutôt. Ça fait environ dix ans qu'on sort ensemble.

Alizée ne sut pas quoi répondre. Heureusement pour elle, l'arrivée de Stan la sortit de son embarras. Elle prétexta une envie urgente et lui laissa la place au comptoir. Trop occupé à commenter la poupée gonflable, il ne remarqua pas le trouble de son employée. Une fois réfugiée dans les toilettes, la jeune fille s'enferma dans la cabine. Il ne fallait pas qu'elle pleure, ça allait ruiner son maquillage. À la place, elle donna une bonne tape dans la porte. Cela lui fit mal à la main, mais elle se sentit un peu mieux. Bon, elle ne pouvait pas s'éterniser aux toilettes toute la soirée, Stan se tannerait sous peu de la poupée et il se demanderait où elle était. Alizée prit donc plusieurs grandes inspirations, replaça ses cheveux, sourit à son reflet et sortit de la salle de bain. Cependant, lorsqu'elle entendit la voix de celui qui l'avait appelée «beauté» quelques minutes plus tôt, cela la fit s'arrêter net. Elle reconnut ensuite la voix de Cédrick. Elle s'approcha pour écouter ce que les deux garçons se disaient.

— Pas mal *cute,* la fille de la réception, dit le gars. Elle est vraiment mon genre… mais peut-être un peu trop ado encore.

Pas de réponse de la part de Cédrick.

— En tout cas, continua l'autre, c'est évident qu'elle *trippe* sur toi. Lui as-tu vu la face quand elle a su que tu te mariais ? Cédrick, mon chanceux, tu pognes toujours avec les filles. Tu devrais en profiter un peu plus.

— Tu exagères, répondit Cédrick. Tu sais que j'aime Rebecca et que je ne la tromperai jamais. Alizée est bien gentille et c'est évident qu'elle me trouve de son goût, mais elle est bien trop jeune pour moi. Je ne couche pas avec des bébés, quand même.

— Non, mais ce soir tu vas peut-être coucher avec une poupée ! s'esclaffa son ami.

La jeune fille ne prit pas la peine d'écouter le reste de la conversation. Là, elle n'était pas certaine qu'elle arriverait à contenir ses larmes très longtemps. Elle attendit que les deux gars partent et retourna voir Stan à l'accueil. Heureusement, le groupe de Cédrick s'était déjà dirigé vers la salle. Elle n'aurait pas à les affronter à nouveau.

— Est-ce que ça va ? lui demanda-t-il. Il me semble que tu es restée longtemps aux toilettes.

— Je ne me sens pas très bien. Je crois que je commence une gastro…

— Ouf! Tu ferais peut-être mieux de retourner chez toi. Je ne voudrais pas que tu contamines les clients…

Sans attendre son reste, la jeune fille prit son sac à main, s'excusa une dernière fois et courut pratiquement jusqu'à la porte. Tout le long du trajet, elle sentit les larmes qui coulaient sur ses joues se mêler à la pluie qui tombait. Quelle conne! Il n'y avait jamais rien eu entre Cédrick et elle et elle avait été trop niaiseuse pour s'en apercevoir. Une chance que sa mère avait refusé qu'elle l'invite à son mariage…

Justement, Nancy et Jacques entamèrent leur dernier *slow* de la soirée. La piste de danse s'était vidée et les gens commençaient à partir, après avoir félicité une dernière fois les «jeunes» mariés. Alizée n'en revenait pas de l'énergie de sa mère. À croire qu'elle en avait accumulé une tonne au cours des semaines où elle était restée couchée. Avant de pouvoir finalement quitter la fête, il restait à l'adolescente un dernier obstacle à franchir : elle devait sortir de la salle et passer devant Cédrick qui, elle le savait très bien, se trouvait encore à l'accueil. Au moins, Jacques n'arrêterait pas pour lui parler : il était fâché contre lui depuis le soir où Alizée avait demandé à sa mère d'inviter Cédrick au mariage. En effet, le nouveau mari de sa mère était au courant des fiançailles du jeune homme. C'est d'ailleurs ce qu'il avait appris à Nancy lorsque Alizée s'était réfugiée dans sa chambre. Quand Alizée était revenue à la maison, en larmes, Jacques était en furie contre Cédrick, disant que ce dernier aurait dû, dès le début, la mettre au courant qu'il avait une blonde. Il trouvait que le jeune homme avait manipulé sa belle-fille et ça le mettait dans une rage noire. Nancy avait finalement réussi à le calmer avant qu'il n'aille dire sa façon de penser à Cédrick, mais, depuis ce temps, Jacques ignorait ostensiblement ce jeune qu'il aimait tant à peine quelques semaines plus tôt. Alizée se trouvait maintenant dans une impasse : son emploi au club de golf ne l'intéressait plus. Pas question pour elle de retourner travailler avec Cédrick. Elle avait déjà assez honte comme ça. Il fallait qu'elle envisage de quitter son emploi, mais elle trouvait ça tout de même très dommage. Jamais elle ne retrouverait quelque chose d'aussi intéressant, surtout pour quelqu'un de son âge. De toute façon, elle n'aurait plus beaucoup de temps pour travailler, car l'école recommençait le lundi suivant !

2
LE RETOUR EN CLASSE

Alizée rangeait ses fournitures scolaires dans son sac d'école en réfléchissant à son emploi au club de golf. Son prochain quart de travail était planifié pour le soir même et elle ne savait plus quelle excuse inventer pour ne pas aller travailler. Après sa gastro improvisée, elle avait respecté son horaire normal, sachant très bien que Cédrick était en congé pour son voyage de noces – chanceux ! – et, par la suite, elle avait prétexté être trop occupée par le mariage de sa mère pour accomplir ses heures habituelles. Maintenant, elle ne pouvait plus trouver d'excuse valable. Qu'allait-elle bien pouvoir faire ?

— Alizée ! Es-tu prête pour l'école ?

Pourquoi sa mère criait-elle comme ça ? Pensait-elle qu'elle était sourde ou quoi ? La jeune fille soupira et monta les escaliers pour rejoindre Nancy qui préparait le déjeuner. Elle s'installa à la table et prit une gorgée de son cappuccino. Hum ! Jacques avait une machine à café fantastique !

— Mais qu'est-ce que tu fais habillée comme ça ?

Surprise par le commentaire de sa mère, Alizée regarda ses vêtements, comme si quelque chose clochait. Ne trouvant rien d'inhabituel ou de désordonné, elle la regarda en haussant les sourcils.

— Où est ta gamme de vêtements ? réitéra sa mère.

— Ma gamme ? Voyons, maman. Tu ne m'écoutes pas ou quoi ? On n'a plus de gamme, à l'école…

— Quoi ? Depuis quand ?

Alizée soupira. Décidément, sa mère oubliait toutes les choses qui la concernaient. Par contre, si elle avait glissé le mot « bébé » dans la conversation lorsqu'elle lui avait expliqué qu'en raison du changement de direction à l'école, la gamme n'était maintenant plus obligatoire, probablement que Nancy aurait enregistré l'information. Elle lui rafraîchit donc la mémoire, comme on le fait avec un enfant qui ne comprend pas du premier coup.

— Et tout l'argent que j'ai investi dans ta gamme, s'énerva Nancy, ça va aux poubelles ?

— Ben… je l'ai quand même portée quatre ans. Je pense que c'est un investissement qui est assez bien amorti…

C'était un terme que M. Tessier, son enseignant de français de troisième secondaire, lui avait appris et elle adorait l'employer. Nancy soupira.

— On ne t'a même pas acheté de nouveaux vêtements… Tu aurais dû me le dire plus tôt.

— C'est pas grave. On ira magasiner en fin de semaine !

— D'accord, ma grande. Allez, dépêche-toi ! Tu vas être en retard.

Alizée termina sa rôtie et souhaita une bonne journée à sa mère. Une fois sortie de la maison, elle sourit d'un air satisfait. Sa mère avait oublié que Charles l'avait emmenée faire les boutiques avant la fin de l'année scolaire. Il lui avait acheté une garde-robe de reine. Si sa mère lui achetait d'autres vêtements, ce serait encore mieux. Elle en aurait au moins pour un mois à ne pas porter le même linge. Ça faisait changement de la gamme de vêtements habituelle !

La rentrée scolaire apportait toujours son lot d'excitation. La jeune fille était impatiente de revoir les filles du *cheers* ainsi que Charlotte et Sarah. Elle avait aussi bien hâte de recevoir son horaire. Elle avait réussi son cours de mathématiques, finalement, et elle s'était inscrite dans toutes les matières fortes. Son année serait très chargée, mais elle n'avait pas le choix. Elle voulait s'inscrire au cégep en sciences de la nature. Il fallait donc qu'elle réussisse ses cours de chimie, de physique et de biologie, en plus des mathématiques fortes. C'était tout un défi, mais, brillante et confiante de nature, elle était certaine d'y arriver. Le seul nuage noir à l'horizon concernait son amitié avec Charlotte et Sarah. L'année précédente, Alizée avait renoué de façon assez sommaire avec les filles. Rien n'était encore officiel, mais elle était certaine que tout redeviendrait comme dans le bon vieux temps. C'est donc avec aplomb qu'elle poussa les portes de l'école. La première chose qui la surprit fut de voir tous les élèves vêtus en civil. C'était assez étrange. Il lui fallut un moment pour s'adapter à ce changement. Elle alla récupérer son horaire et mit ses fournitures scolaires dans son casier. Puis, elle partit à la recherche d'amies. Ce ne fut pas difficile ; tout le monde s'était rassemblé à la cafétéria. Toutefois, deux choix se présentaient à elle. D'un côté, à une table, il y avait toute l'équipe de *cheers* qui bavardait gaiement. De l'autre côté, Charlotte et Sarah étaient assises et discutaient tranquillement. Vers qui devait-elle se diriger ? Elle avait bien envie d'aller voir les deux filles, mais elle ne voulait pas s'imposer non plus. Elle avait peur de les effaroucher. En même temps, elle avait envie de confier sa mésaventure de l'été avec Cédrick à quelqu'un et personne dans l'équipe de *cheers* n'était assez digne de confiance pour elle. Alizée décida finalement de se diriger vers Sarah et Charlotte, de les saluer au passage et de se joindre à elles si elles l'y invitaient. Dans le cas contraire, elle continuerait son chemin vers la table des *cheers*. Fière de son plan, elle marcha à grandes enjambées vers ses deux copines qui levèrent la tête, surprises. Elles aussi se demandaient bien ce que cette nouvelle année leur réservait. Côté études, les deux filles suivaient les cours de base, contrairement à Alizée. Sarah avait l'intention de s'inscrire au cégep en art et Charlotte, même si elle avait coulé son français de deuxième secondaire, avait considérablement rattrapé son retard. Si elle travaillait fort, elle pourrait s'inscrire au cégep en même temps que son amie et terminer son français de cinquième secondaire en session d'intégration. C'était là son plus grand souhait. En attendant, les deux amies se demandaient si elles avaient assez de temps et d'énergie pour tenter de reconstruire leur amitié avec Alizée. Elles se sentaient un peu redevables envers elle, puisqu'elle les avait averties que la fête de fin d'année tournerait mal. Tout cela restait encore à voir…

— Hé! Salut, les filles! s'exclama Alizée. Bon retour à l'école!

— Salut, Alizée, répondit Charlotte. As-tu passé un bel été?

Dans le passé, l'adolescente passait toujours des étés merveilleux. En fait, c'est ce qu'elle disait à ses amies, mais cette fois, elle préféra se montrer honnête. Elle avait bien vu que c'était plus payant que le mensonge… avec Charlotte et Sarah. Elle prit la question de Charlotte comme une invitation et s'installa à leur table. Elle remarqua l'air un peu agacé de Sarah, mais elle était confiante. Elle saurait la rallier à sa cause.

— C'était correct. J'ai travaillé au club de golf tout près et ma mère s'est mariée. Rien de bien extraordinaire. Et vous? demanda-t-elle en regardant Sarah droit dans les yeux.

Cette dernière préféra laisser Charlotte répondre.

— J'ai trouvé un emploi au Tim Hortons, celui près de la rue Main. Les heures de travail sont assez bof et le salaire n'est pas super, mais l'équipe est l'*fun*.

— Ah oui… je sais où c'est, mais c'est rare que j'aille là…

Alizée repensa à la dernière fois où elle avait franchi les portes de ce restaurant. Cela remontait à quelques mois, lorsqu'elle avait rencontré son père biologique pour la première fois. Cette rencontre l'avait déçue du début à la fin. Elle préférait considérer Charles comme son père plutôt que cet individu qui n'avait qu'à la bouche les mots : « C'est la faute à ta mère… »

— Je voulais continuer à temps partiel, mais ma mère n'est pas d'accord. Elle veut que je passe mon temps libre à faire des devoirs, termina Charlotte d'un ton boudeur.

Alizée fit un effort pour ne pas relancer la conversation sur son propre été – par exemple, elle aurait pu décrire le mariage « extraordinaire » de sa mère – et se tourna vers Sarah. Cette dernière n'eut donc pas le choix de s'exprimer à son tour.

— J'ai passé trois semaines dans un camp d'art, à Banff, sur le bord du lac Louise, annonça-t-elle.

— Wow ! chanceuse ! J'ai souvent vu des photos du lac Louise. Ça doit être très beau en vrai. Très inspirant pour l'artiste en toi ! ajouta Alizée avec un sourire.

— En plus, elle s'est fait un chum là-bas, s'exclama Charlotte tout excitée.

Sarah lui lança un regard d'avertissement. S'il y avait bien une chose qu'elle n'avait pas envie de faire, c'était de parler de sa vie privée avec Alizée.

— Oh! Est-ce qu'il habite là ou il était juste en stage comme toi? S'il vit là-bas, ça va être dur pour vous. C'est difficile, les relations à distance. Rappelez-vous quand j'avais rencontré Mike, à New York…

Alizée s'arrêta net en voyant le regard de Sarah. Cette histoire avec son bel Américain était inventée de toutes pièces et sa copine le savait très bien. Elle leur fit un petit sourire contrit.

— Oups! Je ne sais pas pourquoi je vous dis ça, ce n'est même pas vrai et vous le savez bien…

Charlotte la regarda, interloquée. Sarah ne lui avait pas parlé du mensonge d'Alizée. Et qu'Alizée elle-même avoue qu'elle avait menti était un exploit.

— Au moins, tu es bonne pour te rappeler de tes mensonges, dit Sarah d'un ton moqueur.

— C'est que j'ai beaucoup d'années d'expérience derrière moi! répliqua Alizée du même ton.

Les trois filles pouffèrent de rire, détendant l'atmosphère du même coup. Alizée se demanda si le moment était adéquat pour leur parler de Cédrick quand son regard fut attiré par une jeune fille qui entrait dans la cafétéria.

— *My God!* Avez-vous vu Julie Lebeau?

Sarah et Charlotte se tournèrent vers l'interpellée et l'analysèrent du regard, sans trop comprendre quoi chercher exactement. Elles regardèrent ensuite Alizée en fronçant les sourcils. Cette dernière observait Julie d'un œil expert.

— Vous n'avez pas remarqué son ventre ?

À nouveau, les deux filles se tournèrent.

— Qu'est-ce qu'il a, son ventre ? demanda finalement Charlotte.

— Regarde-la comme il faut. C'est évident qu'elle est enceinte !

— Quoi ! Ben voyons donc ! Ça se peut pas ! s'écria Charlotte en regardant Julie encore plus attentivement.

— Je vous le dis, continua Alizée d'un ton expert. Ma mère avait exactement le même ventre quand elle était enceinte d'environ cinq mois. Julie est très mince, ça ne se peut pas qu'elle engraisse juste du ventre comme ça…

Les trois filles continuèrent d'observer Julie qui tentait d'agir normalement, mais quelque chose clochait. Ses mouvements n'étaient pas naturels, elle avait l'air un peu embarrassée et tirait sans cesse sur son gilet qui était légèrement trop court. C'était l'une des premières fois qu'Alizée la voyait en public depuis qu'elle avait écrit un message

41

anonyme sur son mur Facebook. À cette pensée, la jeune fille eut un peu honte d'elle. Elle avait traité publiquement Julie de salope. Toutefois, en regardant la condition de la «salope» en question, elle commença à se dire que son affirmation n'était pas si fausse, finalement. Elle préféra toutefois garder son commentaire pour elle.

— Pauvre Julie, dit Charlotte. Elle n'est pas chanceuse...

— Je ne suis pas d'accord, intervint Sarah. De nos jours, il existe plusieurs façons de ne pas tomber enceinte. Elle aurait pu s'informer comme il faut pour l'éviter, quand même.

— Tu as raison, renchérit Alizée.

— Je me demande si elle va le garder, continua Charlotte. Ce n'est pas facile d'élever un enfant seul. Et ses pauvres parents ne doivent pas être contents...

— Nous le saurons bien assez vite, conclut Alizée. Tout se sait dans cette école.

Un silence s'installa. Ne sachant pas vraiment comment relancer la conversation, et ne voulant pas laisser en plan les filles du *cheers*, Alizée se leva, salua Charlotte et Sarah et prit la direction de la table où ses autres amies étaient assises. *Pour une première conversation, ça ne s'est pas trop mal déroulé,* pensa-t-elle.

— Salut, les filles! dit-elle d'un ton joyeux.

— Allô, Alizée, s'exclamèrent-elles toutes en chœur. As-tu passé un bel été?

L'adolescente ne savait pas qui exactement avait posé la question, mais elle s'empressa de leur faire un résumé palpitant de son été – rien à voir avec ce qu'elle avait dit plus tôt à Charlotte et Sarah – et elle conclut même en inventant qu'elle avait rencontré un jeune homme charmant dans les Rocheuses. Là, elle s'inspirait de l'histoire de Sarah, mais comme la jeune fille était très discrète sur sa vie et qu'elle ne parlait jamais aux membres du *cheers*, Alizée ne s'inquiéta pas. Son histoire tiendrait la route.

— Il semble que tu sois incapable de rencontrer un beau gars dans la région, lui fit remarquer ironiquement Jasmine, une des filles qui avaient toujours été jalouses d'elle.

— Au moins, il y a des gars qui s'intéressent à moi, répliqua-t-elle. Et toi, toujours amoureuse de Philippe? Il ne te manifeste pas trop d'intérêt, je trouve.

Jasmine rougit, piquée au vif. Elle avait oublié qu'Alizée était toujours au courant des secrets de tout le monde. Elle écoutait beaucoup et était très observatrice. Il y eut un silence à la table, mais cela n'embarrassa pas du tout Alizée. Elle savait exactement quel sujet relancerait la conversation.

— Saviez-vous que Julie Lebeau est enceinte? demanda-t-elle.

L'annonce eut un effet-choc. Toutes les filles en oublièrent la réplique mesquine qu'elle venait de servir à l'une d'elles.

— Non! T'es pas sérieuse! s'exclama Selena, une des *cheers* assez populaires et qu'Alizée aimait bien.

Tous les regards convergèrent vers la gentille Julie qui était justement en train de discuter avec un gars un peu *loser*.

— Penses-tu que c'est lui, le père? demanda Selena.

Alizée – qui supposait depuis moins de quinze minutes que Julie était enceinte – joua le rôle de l'experte.

— Sûrement, dit-elle. Sinon, je ne vois pas pourquoi ils discuteraient ensemble. C'est qui ce gars-là? Le connaissez-vous?

S'ensuivit une analyse approfondie du petit couple. Toutes y allèrent de leurs commentaires. Alizée était assez satisfaite. Elle adorait répandre des rumeurs. Dommage que ça tombe encore sur Julie…

Sur l'heure du dîner, ne voyant pas Charlotte et Sarah, Alizée s'installa avec ses autres amies. Il fut question de l'audition pour l'équipe de *cheerleaders*. Toutes les filles tentèrent de convaincre Alizée de se joindre au groupe ; elles lui laisseraient même la place de capitaine. Cette dernière se laissa désirer un peu, puis promit de se rendre à la pratique le lendemain. Cela faisait bien son affaire qu'Amélie ne soit plus dans l'équipe. La pauvre fille ne s'était pas totalement remise de la fête de fin d'année qui avait mal tourné. Alizée ne connaissait pas tous les détails, mais il semblait qu'Amélie ait fait partie des jeunes filles grandement intoxiquées. Elle avait sans doute changé d'école. Personne ne semblait au courant. Personnellement, Alizée se fichait bien d'Amélie. Bon, elle l'avait aidée, l'année précédente, en la recueillant chez elle, mais ça n'avait été que la moitié d'une nuit. Ce n'était pas grand-chose. Surtout que plus tard, elle avait osé la refuser dans l'équipe de *cheers*. Ça, Alizée ne le lui avait pas encore pardonné. Quoi que Lou s'était assez bien chargée de la venger… En effet, elle lui avait dérobé son cellulaire et l'avait offert à Alizée, qui l'avait refusé, bien entendu. En repensant à Lou, la jeune fille se promit de ne pas revivre une année scolaire comme la précédente. Heureusement, tout semblait être revenu à la normale. Il ne lui restait qu'à reconquérir le cœur de Charlotte et de Sarah. Ce serait sans doute facile avec la première, mais la deuxième serait plus coriace. Son attention fut détournée par le mot qui était sur toutes les lèvres des élèves de cinquième secondaire.

— Est-ce que l'une d'entre vous va s'inscrire au comité du bal ? demanda Selena. Il faudrait bien qu'il y ait une représentante des *cheers*. Comme ça, on sera certaines que le thème nous plaira.

Alizée trouvait Selena tellement superficielle, parfois. En même temps, il arrivait souvent que les filles qui choisissaient la déco du bal soient quétaines. Peut-être serait-elle la personne idéale pour faire ces choix ? En plus, en étant dans l'organisation du bal, elle aurait quelques avantages. Elle pourrait avoir une meilleure table et organiser des levées de fonds toutes plus extraordinaires les unes que les autres. Comme aucune fille ne semblait vraiment intéressée par l'idée de Selena,

Alizée proposa sa candidature. Toutes les filles approuvèrent son initiative. Elle avait tellement bon goût !

— Sais-tu quelle enseignante s'occupe du bal, cette année ? demanda-t-elle à Selena.

— Hum ! Je pense que c'est Mme Villeneuve. D'habitude, c'est elle.

— Ah ! c'est *chill* ! Elle a l'air vraiment fine. Et comme sa fille sera au bal elle aussi, elle va sûrement faire en sorte que l'événement soit encore mieux que les autres fois.

— T'as raison. En même temps, moi, j'aimerais pas ça que ma mère s'occupe du bal. J'aurais peur que mes amies m'en veuillent si c'est pas ce à quoi elles s'attendaient, expliqua Selena.

Toutes les filles autour de la table approuvèrent. Seule Alizée ne hocha pas la tête en signe d'assentiment. S'il y avait une mère qui aurait le don d'organiser le bal parfait, c'était bien la sienne. La cloche mit un terme à leur discussion. Les amies se saluèrent et Alizée promit d'entrer en contact avec Mme Villeneuve. Elle était assez excitée à cette perspective. C'était certain qu'elle arriverait à créer un événement hors du commun !

Arrivée à son cours de physique, Alizée s'installa à l'endroit indiqué par son enseignant, un drôle de barbu à lunettes. Elle ne savait pas trop à quoi s'attendre de ce cours. Une chose était certaine, elle devait le réussir si elle voulait s'inscrire au cégep dans le domaine qui l'intéressait. Une fois tous les élèves installés, l'enseignant se présenta très brièvement, puis leur indiqua avec qui chacun d'eux ferait ses laboratoires cette année-là. Immédiatement, une élève leva la main et s'indigna.

— Je pense que nous sommes assez vieux pour choisir nos propres partenaires de laboratoire. C'est injuste que vous nous imposiez un coéquipier qui ne nous plaît peut-être pas.

Alizée était tout à fait d'accord avec elle. Elle s'apprêtait à faire le même commentaire, mais la fille l'avait devancée. Comme le reste du groupe, elle regarda son enseignant, curieuse de savoir ce qu'il allait lui répondre.

— Qu'est-ce que vous voulez faire dans la vie, mademoiselle? lui demanda-t-il.

Elle hésita, ne s'attendant pas à se faire poser cette question.

— Je veux être dentiste, répondit-elle finalement.

— Excellent choix de carrière. Mais dites-moi, quand vous serez dentiste, choisirez-vous toutes vos hygiénistes dentaires ?

— Euh, je sais pas.

— Et sélectionnerez-vous tous vos clients minutieusement ? Allez-vous seulement accepter ceux que vous connaissez ou accepterez-vous aussi des inconnus ?

— Ben… ce n'est pas la même chose.

Il est futé, ce prof, pensa Alizée. Elle était contente de ne pas être intervenue la première, finalement.

— Vous saurez, chers élèves, que malheureusement, on ne choisit pas toujours nos partenaires de travail. Il faut apprendre à vivre avec cette réalité. Vous serez bientôt des jeunes adultes et il n'est pas trop tôt pour commencer à travailler avec des inconnus. Alors je vous indique avec qui vous serez jumelés. Écoutez attentivement !

Laissant en plan la fille un peu humiliée, il commença à énumérer le nom des élèves en ordre alphabétique et à les jumeler dans le même ordre. Son système n'était pas très élaboré.

— Yannick Mainville et Alizée Meilleur.

Son nouveau partenaire de sciences se tourna vers elle. *Oh non! Pas lui!* pensa-t-elle. N'aurait-elle pas pu être jumelée avec le beau gars qui s'appelait Melançon et qui était juste après elle dans la liste? Ce fut la fille qui avait posé la question qui se retrouva en équipe avec lui. À voir son sourire satisfait, elle était contente, finalement, que l'enseignant impose des équipes. Yannick Mainville la regarda de haut en bas et, sans un sourire, il se retourna, prêt à écouter le reste du cours. *C'est quoi son problème de me regarder de la sorte?*, se demanda Alizée. En plus d'être *loser*, il se permettait de la juger. C'était n'importe quoi. Dès la fin du cours, elle irait convaincre son enseignant de la changer d'équipe. Elle était certaine de pouvoir y arriver: personne ne pouvait résister à son charme.

— Voilà pour les équipes! termina l'enseignant. Et ne venez pas me voir pour changer de partenaire, ma réponse sera la suivante: non! Bon, maintenant, sortez votre cahier de notes, nous allons voir si certaines de vos connaissances ont survécu aux vacances estivales.

Non, mais pour qui il se prenait, lui? Le roi du monde? Il avait sûrement détesté son expérience au secondaire; voilà pourquoi il venait faire souffrir les élèves. C'était sans doute sa petite vengeance personnelle. Alizée avait toujours pensé que les gens qui devenaient enseignants le faisaient parce qu'ils aimaient être en possession d'un certain pouvoir et que c'était plus facile de l'exercer sur des jeunes que sur des adultes. Impossible que quelqu'un choisisse ce métier par amour pour les élèves… À moins que ce ne soit uniquement pour les vacances d'été? En soupirant, elle sortit son cahier et commença à prendre ses notes de cours. Au moins, elle comprenait ce que le drôle de bonhomme en avant leur expliquait. Elle n'était pas si rouillée que ça. Quelques minutes avant la fin de la période, M. Bélanger les laissa se placer en équipes de travail afin qu'ils fassent un peu connaissance avant le laboratoire du prochain cours. Tout en regardant le beau gars avec qui elle aurait pu être placée, Alizée soupira une autre fois et dégagea une petite place sur son pupitre afin que Yannick ait de l'espace. Ce dernier se retourna et déposa son cahier de notes sur son bureau. N'ayant rien à lui dire et ne voulant surtout pas le regarder dans les yeux, la jeune fille s'attarda plutôt sur ce qu'il avait écrit dans son cahier. Pour un garçon, il avait une belle écriture. En plus, elle ne décela aucune faute d'orthographe. Au moins ça de positif: elle n'aurait pas à corriger sans cesse ses travaux.

— Cherches-tu quelque chose en particulier?

Elle leva les yeux, surprise qu'il s'adresse à elle de la sorte. Il avait un regard moqueur, ce qu'elle n'était pas sûre d'apprécier. Elle prit un ton froid, question d'établir sa supériorité.

— Je veux être sûre que tu es capable de faire quelque chose comme il faut, dit-elle. Si on est pris ensemble, je ne vais pas me taper tout le travail.

— C'est drôle, j'allais te dire la même chose. Généralement, les filles sont moins bonnes que les gars en physique. J'espère que tu seras à la hauteur.

Alizée sentit ses joues s'empourprer. Il n'était pas gêné de remettre en doute ses capacités! Il ne savait pas qui elle était ou quoi? Elle allait le remettre à sa place, mais la cloche sonna et tous les élèves se levèrent en même temps. La classe se vida en quelques secondes; seule Alizée resta assise, indignée. Elle regarda l'enseignant ramasser ses affaires. Quelques élèves rôdaient autour, espérant sans doute le persuader de changer les équipes, mais il ne les écoutait même pas. Finalement, Alizée ramassa ses affaires et sortit. Elle tomba nez à nez avec Charlotte.

— Ça va, Alizée? Tu as l'air bizarre.

La jeune fille fut contente que quelqu'un lui pose la question.

— Ouin… c'est juste que le prof de sciences m'a jumelée avec un coéquipier et je ne pense pas que ça va marcher entre nous.

— Oh! C'est dommage. Comment il s'appelle?

— Euh, Yannick quelque chose. Son nom de famille commence par un M.

— Ah! Yannick Mainville?

— Oui, c'est ça. Tu le connais?

— Oui, un peu, c'est le petit cousin de ma mère.

— Ah ouin?

— C'est le fils de sa cousine. Ils ont déménagé dans la région l'an passé. Je l'ai vu une fois ou deux. Il est gentil et très intelligent.

— Ça se peut, mais il ne m'a démontré ni l'une ni l'autre de ces qualités, pendant le temps où on s'est parlé…

— Il est un peu timide, surtout avec les filles. Laisse-lui une chance. Je suis certaine qu'il fera un bon partenaire de physique.

Alizée n'en était pas si sûre. Charlotte était du genre à trouver des qualités à tout le monde avant même de les connaître. Elle n'était pas très bonne juge de la situation. Les deux adolescentes se saluèrent et se dirigèrent vers le dernier cours de la journée. Celui-ci passa rapidement et, quand la cloche sonna, Alizée se dirigea à grands pas vers l'audition de l'équipe de *cheers*. Elle n'avait pas beaucoup de temps devant elle, puisqu'elle travaillait au club de golf ce soir-là. Il faudrait qu'elle se dépêche. Son retour au travail l'angoissait. Elle avait peur de revoir Cédrick. Elle ne saurait pas quoi lui dire en le voyant à part : « Pis ? Ton voyage de noces, c'était bien ? » En plus, elle avait honte d'avoir pensé qu'elle avait une chance avec lui. Il était beaucoup trop vieux pour elle, après tout. Arrivée au gymnase, Alizée discuta quelques minutes avec l'entraîneuse de l'équipe, fit quelques roues latérales et des sauts de gymnastique et le tour fut joué. Elle réintégra automatiquement l'équipe. Les essais plus poussés étaient inutiles. Elle avait déjà fait ses preuves en tant que *cheer*. Même pas besoin de monter au sommet de la pyramide pour reprendre sa place. Bon, elle n'avait pas encore le titre officiel de capitaine, mais ce n'était qu'une question de temps. Elle fut même applaudie par les filles qui étaient heureuses de la savoir de retour. Seule Jasmine resta de marbre. Elle n'aimait pas Alizée, qui se croyait trop parfaite. Satisfaite, la nouvelle *cheer* regarda quelques minutes d'un regard critique les autres filles qui faisaient l'essai, puis salua ses copines. Le travail ne pouvait plus attendre, il fallait qu'elle aille affronter Cédrick…

Au risque d'arriver en retard, Alizée prit son temps pour se rendre au club de golf, imaginant comment elle saluerait celui qui lui avait brisé le cœur pendant l'été. Elle décida finalement que, puisqu'elle n'était pas dans le tort, ce n'était pas à elle de faire les premiers pas. Elle attendrait que Cédrick la salue, puis elle l'ignorerait… ou elle le saluerait. Rendue là, elle ne savait pas trop encore comment elle réagirait. Tant qu'elle ne fondait pas en larmes, tout irait bien. Arrivée à l'entrée, elle prit une grande inspiration et poussa la porte, s'attendant à voir Cédrick et son sourire si charmeur, mais il n'était pas là. Stan occupait sa place au comptoir. Il parut surpris de la voir.

— Alizée? Merde! Ta mère ne t'a pas fait le message?

— Non! Quel message?

La jeune fille sortit son cellulaire de son sac. Elle l'avait mis en mode silencieux et avait oublié de le rallumer. Elle avait manqué quatre appels, tous de sa mère.

— J'ai appelé chez toi pour te dire que je n'avais pas besoin de toi, ce soir, finalement, expliqua Stan.

— Pourquoi tu n'as pas appelé sur mon cellulaire ? Tu sais bien que je vais à l'école…

Il haussa les épaules. Comme si ce n'était pas normal qu'une jeune fille de seize ans fréquente l'école.

— Bof, je ne savais pas, moi. Vous autres, les jeunes, vous lâchez souvent l'école, non ?

— Pas vraiment, non.

— En tout cas, j'ai parlé à ta mère et je lui ai dit que je n'avais pas assez de travail pour toi aujourd'hui. D'ailleurs, il va falloir que je réduise beaucoup tes heures. Avec l'hiver qui s'en vient, le club va fermer… mais je peux te redonner ton travail l'été prochain, si tu veux ! Tu fais une super job, ici, continua-t-il en la reluquant un peu trop à son goût.

Alizée réfléchit un instant. La seule chose qui la retenait vraiment à cet endroit, c'était la présence de Cédrick. Maintenant qu'il était marié, elle n'avait plus beaucoup d'intérêt et Stan l'écœurait un peu. Il était gentil, mais pas subtil pour deux cennes. Il la trouvait à son goût – c'était évident –, mais sans Cédrick dans la place, cela lui taperait rapidement sur les nerfs.

— Je vais y penser, pour l'été prochain, répondit-elle. En attendant, je pense que je vais arrêter de travailler et me concentrer sur mes études. Allez-vous pouvoir vous débrouiller sans moi ?

— Oui, bien sûr. Je t'appelle au printemps, dans ce cas.

— Très bien. Oh ! dernière chose, Cédrick n'est pas là, aujourd'hui ? demanda Alizée.

— Non, il est retourné aux études, lui aussi. C'était son dernier été avec nous. Il ne te l'a pas dit ?

Alizée se renfrogna. Une autre chose qu'il lui avait cachée. Elle commençait à croire que leur belle complicité n'avait jamais existé. Elle supposa même qu'il agissait de la sorte avec toutes les filles qu'il rencontrait. C'était sans doute un vrai salaud. Stan promit de lui envoyer son dernier chèque de paye par la poste et Alizée quitta le club de golf, soulagée. Elle s'était bien amusée entre ces murs, mais elle commençait à avoir plus de mauvais souvenirs que de bons. Heureusement pour elle, tout s'était réglé assez facilement, sans effusion de larmes. Une seule chose la dérangeait, toutefois, c'était qu'elle n'avait plus d'emploi.

Elle aurait de la difficulté à trouver autre chose d'aussi payant par rapport à la charge de travail. Pas question pour elle de travailler au Subway ou au Tim Hortons comme Charlotte. Son prochain emploi devait avoir de la classe. En attendant, elle s'était ramassé un peu d'argent et Charles se montrait généreux avec elle. Elle ne manquerait de rien, au moins jusqu'à Noël. D'ici là, il fallait qu'elle trouve autre chose. Peut-être que Jacques pourrait encore l'aider ?

3
Le nouveau venu

Comme Alizée avait désormais davantage de temps libre, elle s'inscrivit avec plaisir au comité du bal. À la première réunion, elle eut la surprise de voir Sarah et Charlotte s'installer à la table avec elle. Elle n'était pas étonnée que Charlotte ait de l'intérêt pour l'activité, mais la présence de Sarah piquait sa curiosité. La jeune artiste n'était pas vraiment du genre à participer à ce type d'événement. Alizée comprit l'objet de sa présence quelques minutes après le début de la rencontre. En effet, Mme Villeneuve, la responsable, annonça que les élèves du groupe d'art s'occuperaient des centres de tables et que Sarah avait déjà conçu un modèle. Cette dernière s'empressa de le présenter. Tous s'exclamèrent devant l'originalité de son œuvre. Tous, sauf Alizée. C'était beau, mais pas assez pour ses standards. Elle voulait quelque chose de grandiose. Pour y arriver, il serait possible de s'inspirer du modèle de Sarah, mais quelques changements seraient vraiment nécessaires. Plutôt que de mettre cartes sur table, elle préféra s'abstenir de commenter pour le moment. Ils auraient bien assez de temps pour en discuter avant que le projet ne soit mis en marche officiellement. De plus, si elle voulait regagner l'amitié de Sarah, il fallait qu'elle surveille ses commentaires. Elle s'en remettrait à Mme Villeneuve. Justement, cette dernière démarra un tour de table pour connaître les attentes de chaque personne concernant l'événement le plus important de l'année. Chacun prit le temps d'exposer son idée. Personnellement, Alizée trouvait que tout ce qu'elle entendait était du déjà-vu, mais comme elle n'avait pas encore eu son éclair de génie – il viendrait très bientôt, elle n'en doutait pas –, elle s'abstint de toute remarque négative et continua d'écouter. Quand vint son tour, elle commença par émettre un commentaire positif sur les idées de chacun, comme sa mère le lui avait appris, puis enchaîna avec une idée qui lui trottait en tête depuis un petit moment. Ce n'était pas l'idée du siècle, mais elle était bien mieux que tout ce qu'elle avait entendu dans les dix dernières minutes.

— Premièrement, commença-t-elle d'un ton joyeux, je trouve que vos idées sont toutes bonnes !

Sarah et Charlotte échangèrent un regard. En voilà deux qu'elle ne pourrait pas berner avec sa fausse joie.

— Comme ma mère s'est mariée cet été, ajouta-t-elle, j'ai beaucoup entendu parler de robes et de préparation d'événement, récemment. Je pense que ma mère a essayé au moins cent robes avant de choisir la bonne. Bon, elle était très enceinte, mais passons...

Son commentaire fit rire l'assistance.

— Moi-même, j'ai eu beaucoup de difficulté à choisir la mienne. Le choix de couleurs n'est pas toujours idéal et, dans la région, il y a peu de boutiques qui offrent des produits intéressants aux filles.

Toutes les personnes présentes autour de la table hochèrent la tête en signe d'assentiment.

— Cela m'amène donc à penser que nous devrions choisir le thème noir et blanc pour le bal.

— Noir et blanc? C'est un peu contraignant, tu ne trouves pas? demanda Mme Villeneuve.

— Oui et non. En fait, je pense que toutes les filles se sentent à l'aise dans une belle robe noire. Il existe tellement de modèles et tous les noirs ne se ressemblent pas nécessairement. En plus, ça camoufle bien les petits défauts et c'est très élégant!

Charlotte regarda son ventre et ses bourrelets. Son premier choix serait incontestablement une robe noire. Mais qu'Alizée le dise tout haut l'embarrassait un peu.

— Puis, plusieurs filles considèrent le bal comme un événement presque aussi important que leur mariage. Ces filles-là adoreront choisir une belle robe blanche! termina Alizée, satisfaite de son idée.

L'idée surprit d'abord tout le monde, mais elle fit ensuite son chemin et plusieurs commencèrent à penser que ce n'était pas bête. Mme Villeneuve tapa dans ses mains.

— Bien! dit-elle. Nous avons fait notre premier tour de table, c'était très intéressant de connaître les idées de chacun. D'ici la prochaine rencontre, réfléchissez à ce dont nous avons discuté et nous tenterons de faire quelques choix. Tout cela semble un peu vite, mais il faut être prêts rapidement!

L'enthousiasme de Mme Villeneuve était contagieux. Alizée trouva cela plaisant et elle se promit de la convaincre que son idée du bal noir et blanc était la meilleure. Elle nota à son agenda de rechercher des images *glamour* de bals, sous la même thématique, qui avaient déjà eu lieu. Rien de mieux que des photos pour bien illustrer son idée. En sortant de la réunion, Alizée prit la direction du laboratoire de physique. Son moment avec les filles du bal lui avait fait oublier qu'elle allait devoir travailler en équipe avec Yannick Mainville. Cela la fit grimacer. Elle entra dans la classe au moment où la deuxième cloche sonnait et elle se glissa à côté de son partenaire, sans un regard pour lui. Cela ne sembla pas l'offusquer. Elle attendit que son drôle d'enseignant ait terminé de donner ses consignes pour finalement se tourner vers Yannick. Leurs yeux se croisèrent et Alizée fut très surprise du regard bleu qu'elle découvrit. Le jeune homme portait justement un chandail du même bleu ce jour-là.

— Tu es prête ?

— Bien sûr, répondit-elle. J'attendais après toi…

Il roula brièvement des yeux, semblant déjà excédé par ses propos, ce qui offusqua Alizée.

— Comment veux-tu procéder ? demanda-t-elle d'un ton hautain.

— On peut séparer les tâches moitié-moitié. Je rédige la première partie du labo pendant que tu commences l'expérience et rendus à l'étape cinq, on inverse les rôles.

Alizée fut un peu surprise par son *leadership,* mais son idée était intéressante. Ça valait la peine d'essayer. Elle acquiesça et revêtit ses lunettes de laboratoire et son sarrau en grimaçant. Une chance qu'elle ne trouvait pas Yannick de son goût. Les lunettes et le sarrau n'étaient pas nécessairement les habits qu'elle choisissait lorsqu'elle voulait séduire quelqu'un. Travailler avec une personne sans intérêt avait au moins un avantage : la productivité. Pendant que la fille jumelée avec le beau gars Melançon faisait des yeux doux à son partenaire, Yannick et Alizée avaient eu le temps d'accomplir une grande partie de leurs tâches. Ils se parlaient peu, mais étaient très efficaces, comme s'ils avaient travaillé ensemble toute leur vie. Cela plut vraiment à la jeune fille. Même que quand leur enseignant passa et les félicita pour leur productivité, Alizée fit un sourire à son coéquipier. Il eut l'air content lui aussi. Ils avaient presque terminé leur expérience quand le bip de l'interphone se fit entendre.

— Est-ce qu'Alizée Meilleur est en classe ?

La jeune fille reconnut la voix d'Anne, la T.T.S. Qu'est-ce qu'elle avait bien pu faire de mal, cette fois ? L'espace d'un moment, elle eut peur que l'intervenante ait découvert qu'elle savait que Lou avait joué un rôle dans l'histoire du *party* de fin d'année, puis elle se dit que c'était impossible.

— Il faudrait qu'elle vienne me voir à mon bureau, annonça Anne.

Alizée jeta un regard à Yannick. Elle se sentait presque mal de l'abandonner ainsi à la fin du labo. Il devrait tout ramasser tout seul.

— Vas-y, l'encouragea-t-il. Je m'occupe de ranger. On a fini et il reste dix minutes au cours. J'ai le temps !

— Merci, je me demande bien ce qu'elle me veut…

Le jeune homme ne répondit rien et s'affaira plutôt à conclure leur rapport de laboratoire. Après l'avoir vu à l'œuvre pendant la première demi-heure, Alizée avait une totale confiance en lui. Il semblait très minutieux. Elle enleva son attirail de laboratoire, ramassa ses affaires et quitta la classe, sans un regard derrière elle. Elle prit son temps pour se rendre au bureau de la T.T.S., se convainquant qu'elle n'avait rien à se reprocher. Elle cogna brièvement et l'intervenante l'accueillit avec un grand sourire.

— Entre, ma belle ! dit-elle.

OK ! C'est bizarre…, pensa Alizée. Elle s'installa sur la petite chaise et remarqua qu'Anne avait de la difficulté à contenir son excitation.

— Ton beau-père vient d'appeler, annonça-t-elle.

— Lequel ? demanda Alizée.

Sa question décontenança Anne, qui ne pensait qu'à la bonne nouvelle qu'elle devait annoncer. Elle fouilla dans ses papiers rapidement jusqu'à ce qu'elle trouve le nom qu'elle cherchait.

— Jacques Bastien, répondit-elle après un moment.

— Ah lui! D'accord, à quel sujet?

— Ta mère a accouché cet après-midi!

— Elle a accouché? Mais c'est trop tôt! Est-ce que le bébé va bien?

— Ton beau-père m'a assuré que tout s'était bien passé, mais, comme tu l'as dit, c'est un peu tôt. Ta mère et le bébé resteront quelques jours à l'hôpital.

— Fiou! Ça me rassure. Est-ce que je peux aller les voir? s'enquit la nouvelle sœur.

— Les visites ne sont pas avant dix-huit heures. Ton beau-père fait dire qu'il a averti – elle regarda encore sur son papier – Charles. Ce dernier viendra te chercher après l'école et t'amènera voir ta mère plus tard.

Charles? Ça semblait un peu étrange, tout de même, que l'ex de sa mère l'amène voir le nouveau bébé. Mais bon. S'il y avait une personne avec qui Alizée aimait passer du temps, c'était bien lui. La nouvelle de l'accouchement de sa mère lui fit ressentir des émotions jusque-là inconnues. Elle savait que le bébé arriverait un jour, évidemment, mais il y avait une différence entre le savoir et le vivre. Quelle serait sa place, maintenant, dans la vie de Nancy? Elle n'avait jamais vraiment pris la peine d'y songer. Et pourtant, elle avait eu (presque) neuf mois pour y penser.

— Es-tu contente d'avoir un petit frère ou une petite sœur? lui demanda Anne.

Cette dernière voyait bien que quelque chose tracassait la jeune fille. Elle connaissait assez bien Alizée pour savoir qu'elle avait eu sa mère juste à elle au cours des seize dernières années. Était-elle trop égoïste pour la partager?

— Je suis très contente, répondit finalement l'adolescente. C'est juste que je suis étonnée qu'il soit arrivé aussi tôt. Il n'était pas prévu avant un bon mois et quand j'ai vu ma mère, ce matin, elle n'avait pas l'air prête à accoucher. Mais j'ai vraiment hâte de les voir. Je ne sais même pas si c'est un garçon ou une fille. Ma mère n'a pas voulu le savoir, finalement. Elle préférait faire la surprise à Jacques.

— Oh! C'est très excitant! Tu viendras m'en donner des nouvelles. En attendant, te sens-tu d'attaque pour aller à ton dernier cours?

— Hum! Pas vraiment. Je n'ai pas trop la tête à faire du français…

— Exceptionnellement, je t'autorise à le manquer. Je comprends que tu aies autre chose en tête. En attendant que la personne désignée vienne te chercher, tu peux aller étudier à la bibliothèque.

— Merci beaucoup! répondit Alizée. Je vous apporterai une photo dès que j'aurai le temps, ajouta-t-elle, sachant très bien qu'elle n'en ferait rien.

Après un dernier échange de sourires, Alizée sortit du bureau. Elle avait l'impression de flotter sur un petit nuage. Elle avait vraiment hâte d'aller voir sa mère. Anne avait dit que les visites ne commençaient pas avant dix-huit heures, mais qu'est-ce qu'elle connaissait là-dedans? Elle n'avait même pas d'enfant… La jeune fille décida d'appeler Jacques pour connaître les détails supplémentaires. Après plusieurs sonneries, elle tomba sur sa boîte boîte vocale. Il devait être trop occupé avec le nouveau bébé pour répondre à son appel. Elle douta que Charles en sache plus qu'elle, mais elle tenta de l'appeler quand même. Contrairement au mari de sa mère, il répondit à la première sonnerie. Il était drôlement plus fiable que Jacques…

— Alizée! Comment ça va?

— Très bien. Maman a accouché.

— Oui, Jacques m'a téléphoné tantôt. Je dois te dire que j'ai été assez surpris de l'entendre, mais il m'a semblé bien sympathique.

— En effet. Tu peux m'amener voir le bébé?

— Certainement. Bon, je ne te garantis pas que je vais entrer dans la chambre, mais ça va me faire plaisir de te reconduire.

Il accompagna sa remarque d'un petit rire.

— Peux-tu venir me chercher maintenant?

— Eh bien, je pourrais, mais les visites ne sont pas avant dix-huit heures. Ça ne donne rien que tu manques l'école…

Maudite Anne. Elle avait raison, encore…

— Ils ne peuvent pas faire d'exception à l'hôpital? Même pas pour la fille de la patiente?

— Tu as juste quelques heures à attendre. Sois patiente. Je passe te chercher à seize heures, nous irons au resto, puis tu pourras aller voir ta mère. Ça te va?

— OK, maugréa Alizée. À tantôt!

— À tantôt, grande sœur!

Cette réplique de Charles lui fit un drôle d'effet. Il faudrait qu'elle s'habitue à ce nouveau rôle.

À seize heures moins une minute, Alizée trépignait à la porte de l'école. Elle savait bien que Charles ne l'amènerait pas plus tôt que prévu à l'hôpital, mais elle avait hâte de sortir de l'établissement pour passer à autre chose. La cloche sonna et un flot d'élèves déferla sur elle; elle n'y prêta pas attention. Elle cherchait la voiture de Charles du regard.

— Alizée! Tu es là? Je ne t'ai pas vue dans le cours de français.

La jeune fille se retourna, surprise que Sarah l'interpelle de la sorte. Pour la première fois en cinq ans, elles avaient un cours en commun. C'était dommage que ça arrive alors qu'elles étaient moins amies qu'avant…

— Ma mère a accouché, annonça-t-elle. Je dois aller la voir à l'hôpital.

— Oh! C'est une bonne nouvelle, s'exclama Charlotte qui suivait toujours Sarah d'assez près. C'est un garçon ou une fille?

— Je ne sais pas encore. J'ai vraiment hâte de le savoir.

— En tout cas, moi, si j'avais un garçon, je l'appellerais Médric. Et si c'était une fille, ce serait Océane, déclara Charlotte. J'adore ces prénoms!

— Tu ne penses pas que ton mari aura son mot à dire ? lui demanda Sarah avec un sourire.

— C'est moi qui vais prendre du poids pour lui donner un enfant : c'est donc à moi de décider !

Cette remarque fit sourire Alizée. C'était bien le genre de Charlotte de prévoir quels prénoms elle donnerait à ses futurs enfants. Elle-même n'avait jamais pris le temps de songer à ce genre de détail. C'était ce type de conversation avec ses amies qui lui manquait le plus. Elle aperçut finalement son ex-beau-père et salua les filles qui discutaient encore de prénoms de bébés. Elle promit de leur envoyer une photo dès qu'elle le pourrait. La voiture était à peine immobilisée qu'Alizée y était déjà montée.

— Wow, tu es pressée ! lui fit remarquer Charles.

— Excuse-moi. Je n'en pouvais plus de rester à l'école. J'ai tellement hâte de voir maman et le bébé. Est-ce qu'on peut y aller maintenant ?

— Ce ne sera pas possible, je te l'ai déjà dit.

Alizée bouda quelques secondes. Elle détestait qu'on lui refuse des choses de la sorte. Pourquoi y avait-il un règlement aussi stupide à l'hôpital ? Elle n'était pas une inconnue, elle voulait seulement voir sa mère.

— Voilà ce que je te propose, dit Charles en voyant son air boudeur. Ta mère sera à l'hôpital un bon moment. Ça ne donne rien que tu restes seule à la maison, surtout que Jacques va aussi dormir à l'hôpital. Je t'invite à coucher chez moi. Nous passons chez toi chercher des vêtements pour quelques jours, puis nous allons t'installer chez moi. Ensuite, nous allons souper au resto de ton choix. Ça te convient?

— OK. Mais on va dans un restaurant près de l'hôpital. Je veux être là à l'heure où les visites commencent.

— Oui, chef! En attendant, allons-y. L'heure tourne! blagua-t-il.

Ils prirent la direction de la maison d'Alizée, qui n'était qu'à quelques minutes de l'école. En chemin, ils parlèrent un peu du bébé.

— Est-ce que Jacques t'a dit si c'était un garçon ou une fille? demanda Alizée.

— Oui! Il s'est montré très bavard. Je pense qu'il avait envie de partager sa joie.

Charles la regarda du coin de l'œil.

— Veux-tu que je te le dise ou préfères-tu attendre?

— Je ne sais pas, avoua Alizée.

Elle réfléchit un instant.

— Je pense que je vais attendre. Ça fait presque neuf mois que j'attends. Je peux bien patienter quelques heures de plus !

Le conducteur fut très surpris de sa maturité et ne reparla plus du sexe du bébé. Comme il le lui avait promis, les deux heures passèrent rapidement et l'adolescente entra dans l'aile de maternité à dix-huit heures tapantes, un beau bouquet de fleurs à la main. Charles avait promis de repasser la chercher vers dix-neuf heures. Alors qu'elle rôdait dans les corridors, elle remarqua que personne ne semblait contrôler les visites dans l'établissement et elle se dit qu'elle aurait sûrement pu se présenter plus tôt sans que cela pose problème… Elle avait attendu tout ce temps inutilement. Alizée repéra finalement le numéro de chambre de sa mère, cogna brièvement à la porte et la poussa. Nancy était là, un bébé pendu à l'un de ses seins. Cela fit un choc à Alizée. Tout était nouveau pour elle. Sa mère avait l'air éperdue d'admiration devant son petit poupon et elle ressentit une pointe de jalousie. Puis, elle se reprit. Elle ne pouvait tout de même pas être jalouse d'un bébé qui avait à peine quelques heures. C'était inconcevable !

— Alizée! chuchota Nancy. Tu es là. Je suis contente de te voir. Viens dire bonjour à ton petit frère...

Ainsi c'était un garçon! L'adolescente ressentit une drôle de boule d'émotion dans sa gorge. Comme si elle avait trop envie de pleurer. Elle s'approcha de sa mère et de son petit frère et lui caressa doucement la tête. Il était minuscule! Bon, elle avait vu très peu de bébés dans sa vie, donc elle ne pouvait pas vraiment comparer...

— Tu as manqué Jacques de quelques minutes. Il est parti se chercher quelque chose pour souper.

— Oh! Avoir su, j'aurais pu lui apporter un plat du restaurant. Je suis allée souper avec Charles.

Alizée remarqua que sa mère garda les yeux baissés lorsqu'elle mentionna Charles. Elle trouva son comportement un peu étrange. N'était-ce pas l'idée de Nancy de l'appeler à la rescousse pour qu'il l'amène à l'hôpital?

— Comment s'est passé l'accouchement? demanda-t-elle un peu curieuse.

— Assez bien. Mais ça fait vraiment mal, confia Nancy. Au moins, ça a été assez rapide. Le petit coco s'est pointé le nez un peu trop vite à mon goût; on ne l'attendait pas avant un bon mois...

— Mais il va bien?

— Oui, ne t'inquiète pas. Il a quand même un bon poids. Nous allons rester ici quelques jours. Tu pourras te débrouiller seule ?

— Oui, oui. Charles a proposé de me garder avec lui !

Sa mère lui fit un sourire triste. Était-ce possible qu'elle éprouve encore des sentiments pour son ex ? Si c'était le cas, pourquoi avoir épousé Jacques et fait un bébé ? Il y avait des choses dans la vie des adultes qu'Alizée ne comprenait défini-tivement pas. Au même moment, une infirmière entra dans la chambre et s'adressa à Nancy sans tenir compte de la présence de la jeune fille. Cette dernière se fit la remarque qu'elle était vraiment mal élevée.

— Puis, le bébé boit bien ? demanda-t-elle à Nancy.

— Je pense que oui, répondit-elle. Mais je ne suis pas certaine. C'est ma première expérience d'allaitement.

Ainsi, sa mère ne l'avait pas allaitée. Alizée n'était pas au courant. Elle ne s'était jamais posé la question, en fait. Est-ce que sa mère allaitait son petit frère parce qu'elle l'aimait plus qu'elle ?

— Il faut donner le meilleur à nos petits chéris, ajouta l'infirmière, comme pour narguer Alizée.

Elle vérifiait les signes vitaux du bébé pendant qu'elle discutait des différentes positions d'allaitement avec Nancy. C'en était trop pour Alizée. Elle ne tenait pas à entendre ce genre de détails.

— Hum! Ce petit fait de la fièvre, constata l'infirmière.

— Oh! Est-ce que c'est grave?

— Je crois qu'il va falloir le transférer en néonatalogie. C'est la procédure pour les prématurés.

Alizée vit la panique envahir le regard de Nancy. Mais où était donc Jacques quand on avait besoin de lui? Elle était venue voir son petit frère, pas gérer une crise d'angoisse de sa mère…

— Voulez-vous marcher ou je vous fais venir un fauteuil roulant?

— Je peux marcher, répondit Nancy.

— Parfait. Allons-y!

L'infirmière emmaillota le bébé qui ne semblait pas content d'être interrompu en plein milieu de son repas et les deux femmes quittèrent rapidement la pièce, comme si Alizée ne s'y trouvait pas. Cette dernière resta plantée là, se demandant quoi faire. Ayant un bon quarante-cinq minutes à patienter avant le retour de Charles, elle s'installa dans un fauteuil et sortit son cellulaire de sa sacoche. Elle attendrait le retour de Jacques. Il se demanderait sûrement où se trouvaient Nancy et le bébé. Elle en profita donc pour trouver des photos de bals noir et blanc qu'elle pourrait montrer aux membres du comité. Elle était maintenant convaincue que son idée était la meilleure. Le concept était vraiment original. D'ailleurs, les photos qu'elle trouvait étaient toutes plus splendides les unes que les autres. Elle était tellement concentrée sur sa recherche que l'arrivée de Jacques la fit sursauter. Combien de temps s'était écoulé depuis que sa mère avait quitté la chambre avec le bébé?

— Tout va bien avec ta mère? demanda le nouveau papa.

— Euh… à vrai dire, je ne suis pas certaine…

Jacques eut l'air inquiet un moment, mais il sonna l'infirmière et attendit patiemment. Alizée resta silencieuse, se sentant un peu coupable de ne pas s'être informée davantage de l'état de son nouveau petit frère. Après ce qui lui sembla être une éternité, une préposée entra enfin dans la chambre.

— Oh! docteur Bastien, votre femme est en néonatalogie avec le bébé. Elle vous attendait, justement.

— Est-ce qu'il va bien? l'interrogea Alizée avant qu'elle ne quitte la pièce en coup de vent.

La préposée lui sourit. *Au moins une qui est sympathique,* pensa la jeune fille.

— Oui, tout est sous contrôle. Ne t'inquiète pas.

Jacques s'apprêta à suivre la femme, mais il s'arrêta.

— Il y avait quelque chose que je voulais te dire, Alizée. Pendant que j'y pense…

— Oui?

— Une de nos secrétaires vient de quitter son emploi au bureau. La charge de travail n'est pas assez élevée pour que nous en engagions une autre, mais nous cherchons quelqu'un qui pourrait la remplacer quelques heures par semaine. J'ai pensé à toi. Est-ce que ça t'intéresse?

— C'est sûr que ça m'intéresse! s'exclama Alizée. Je commence quand?

— Laisse-moi confirmer ça avec les ressources humaines et je te reviens là-dessus. En attendant, je vais aller rejoindre Nancy et le bébé.

— En passant, quel nom vous lui avez donné?

— Ta mère ne te l'a pas dit? Eh bien, nous avons décidé de l'appeler Laurier.

Laurier? Ouache! Pauvre petit. Il ferait rire de lui à l'école…

— C'est très beau, mentit Alizée.

La jeune fille vit une drôle d'étincelle dans le regard de Jacques, bien qu'il eut un grand sourire sur le visage. À croire qu'il savait quand elle mentait. Il faudrait qu'elle surveille ses paroles ; il était bien trop perspicace.

— Reviens nous voir demain, proposa-t-il. Laurier et Nancy seront dans de meilleures dispositions.

Une fois Jacques parti, Alizée regarda l'heure. Charles arriverait bientôt, il était inutile qu'elle s'éternise dans ces lieux, surtout qu'elle n'aimait pas beaucoup les hôpitaux. Les chances qu'elle revienne voir sa mère et «Laurier» étaient minces. Elle attendrait qu'ils soient de retour à la maison. N'en revenant toujours pas du choix de prénom de sa mère et de Jacques, elle dévala les escaliers jusqu'au rez-de-chaussée. Charles l'attendait déjà. Elle lui parla un peu du bébé, mais encore plus de son idée du bal noir et blanc…

Le lendemain, elle parla de son nouveau petit frère à toutes les filles, comme s'il s'agissait de la huitième merveille du monde. Toutefois, quand Selena lui demanda de lui montrer une photo, elle se sentit un peu bête de ne pas en avoir pris.

— Les cellulaires sont interdits dans les hôpitaux, dit-elle pour se justifier. Dès qu'ils seront de retour à la maison, je vais en prendre, c'est sûr. C'est le plus beau des bébés!

Durant quelques minutes, la conversation porta sur les poupons. Chaque fille à la table prit le temps de dire combien elle en voulait et quels prénoms elle choisirait. Le prénom Laurier ne faisait pas partie des choix, évidemment. Alizée était déjà découragée pour lui...

Plus tard, Alizée avait un cours de physique. Elle s'installa à la table qu'elle partageait maintenant avec Yannick. Ce dernier jouait à un jeu sur son iPod.

— J'espère que tu ne vas pas m'abandonner à la dernière minute, aujourd'hui. J'ai dû me taper la vaisselle tout seul, dit-il d'un ton humoristique en faisant référence au fait qu'il avait dû ranger tous les instruments de laboratoire. Ce n'est pas ma tâche préférée...

Alizée rit de sa blague.

— Non, ne t'inquiète pas. J'avais une bonne raison de m'enfuir de la sorte. Ma mère a accouché, hier.

Bon, la voilà qui se confiait à un parfait inconnu. Qu'est-ce qu'il lui prenait?

— Ah oui? C'est une bonne nouvelle, dit-il en déposant son iPod. Est-ce que le bébé va bien? demanda-t-il en la fixant droit dans les yeux.

La jeune fille baissa les yeux devant ce regard trop bleu, comme si elle avait peur qu'il puisse sonder son âme. C'était étrange…

— Tout le monde va bien, répondit-elle finalement après un moment de silence. Je n'ai pas eu beaucoup de temps pour voir le bébé, il a dû être transporté en néonatalogie.

Yannick hocha la tête. Savait-il ce qu'était la néonatalogie? Si ce n'était pas le cas, il ne lui posa pas plus de questions. Le cours commença, mais Alizée avait de la difficulté à se concentrer. Elle ne pouvait s'empêcher de regarder son partenaire du coin de l'œil, analysant tout ce qu'il faisait. Quand il se mit à prendre des notes de cours, elle secoua la tête et tenta de se concentrer. Pendant l'heure qui suivit, il fut question d'énergie potentielle et cinétique. Il s'agissait d'un concept nouveau pour elle et elle éprouvait un peu de difficulté à le comprendre. En plus, son enseignant expliquait vraiment rapidement et le tableau était bourré de calculs incompréhensibles. Alizée regarda autour d'elle. Tout le monde écoutait attentivement et semblait comprendre, sauf la fille qui avait posé la question sur les équipes au début de l'année. Elle était trop occupée à fixer son partenaire...

— Maintenant, placez-vous en équipes de travail et faites les pages douze à vingt dans votre cahier d'exercices, annonça l'enseignant.

Yannick ouvrit son cahier et se tourna vers elle.

— On n'est pas obligés de travailler en équipe, si ça ne te tente pas, lui dit-il.

— Non, ça me convient, c'est juste que je ne veux pas te retarder...

Il fronça les sourcils.

— Pourquoi tu me retarderais ?

— Ben, je ne suis pas certaine de comprendre la distinction entre l'énergie cinétique et potentielle. On dirait que tout le monde comprend dans la classe sauf moi, expliqua-t-elle en regardant autour d'elle à la recherche d'une personne qui aurait un gros point d'interrogation dans le front.

Yannick suivit son regard.

— Si je me fie à ce que je vois, la plupart des gens autour font n'importe quoi. Ils ne comprennent sûrement pas eux non plus, dit-il d'un ton encourageant.

Alizée lui sourit, reconnaissante.

— Je vais t'expliquer, si tu veux. C'est assez simple, mais c'est vrai que le prof explique vite.

Il regarda autour de lui, sans doute à la recherche d'un objet pour illustrer son explication.

— Bon, dit-il d'un ton expert, l'énergie potentielle est celle associée à la hauteur d'un objet tandis que l'énergie cinétique est associée à la vitesse d'un objet. Par exemple, si je prends ton coffre à crayons et que je le soulève – il leva le coffre au-dessus de leur tête –, il a de l'énergie potentielle, car il a de la hauteur, mais il n'a pas d'énergie cinétique, car il n'a pas de vitesse.

Alizée hocha la tête en signe de compréhension.

— Maintenant, si je le lâche, quand il va arriver au sol, il aura beaucoup d'énergie cinétique, car il aura atteint une grande vitesse, mais il n'aura plus d'énergie potentielle, puisqu'il se trouve maintenant au sol.

— C'est juste ça ? demanda-t-elle, surprise.

Il lui fit un petit sourire en coin.

— Non, mais c'est la base. Si tu ne comprends pas la base, le reste ne suivra pas…

— Très bien. Je pense que je comprends. Merci pour l'explication ! Je vais commencer les exercices pour voir si tes explications sont bonnes, ajouta-t-elle avec un sourire blagueur.

Ils se mirent au travail en silence. À l'occasion, Alizée lui posait quelques questions auxquelles il avait toujours la réponse. Il semblait vraiment intelligent. Finalement, la jeune fille commençait à être contente d'avoir été jumelée avec lui.

À l'heure du dîner, Alizée s'installa à la table des *cheers*. Pendant qu'elle mangeait, Yannick passa près d'elle et la salua. Elle lui rendit son salut avec un grand sourire.

— C'est ton nouveau chum, Alizée ! la nargua Jasmine. Celui des Rocheuses t'a laissé tomber ?

Alizée se renfrogna. Jasmine avait le don de faire des commentaires qui la dérangeaient plus qu'elle ne voulait l'avouer.

— C'est mon partenaire de physique, justifia-t-elle. Il est très intelligent. Je suis chanceuse d'être en équipe avec lui plutôt qu'avec quelqu'un de poche...

— Une chance qu'il est intelligent, parce qu'il ne semble pas avoir beaucoup d'autres qualités, commenta Selena.

Alizée regarda Yannick. Il discutait avec une gang de gars et semblait être en train d'organiser une partie de *hacky*. C'est vrai qu'il n'était pas un top-modèle, mais il n'était pas laid non plus. Le commentaire de Selena était un peu exagéré. Pour l'avoir côtoyé à quelques reprises, Alizée savait qu'il avait des yeux bleus extraordinaires et que, quand il souriait, il avait une fossette qui apparaissait au coin de sa joue, ce qui changeait totalement la morphologie de son visage. Elle préféra toutefois s'abstenir de le défendre. Il n'était pas son ami, seulement son coéquipier. Elle choisit donc de faire dévier la conversation vers le bal, ce qui semblait être un sujet plus neutre. Pendant qu'elle tentait de convaincre ses amies que son idée de soirée en noir et blanc était la meilleure, elle jeta un dernier regard à Yannick. Il faudrait qu'elle se dissocie un peu de lui si elle voulait garder son statut dans l'équipe de *cheers*...

4
LE NOUVEL EMPLOI

Alizée était littéralement épuisée. Nancy et le bébé étaient de retour à la maison depuis trois semaines environ et le petit Laurier avait décidé que plus personne n'avait le droit de dormir. Même dans sa chambre située au sous-sol, elle entendait les vagissements incessants du bébé. Elle avait pitié pour sa mère qui, lui semblait-il, avait toujours le poupon pendu au bout du sein. L'adolescente n'était plus certaine de vouloir une famille plus tard. Elle pensait à Julie Lebeau, qui avait officiellement quitté l'école, sans pour autant donner de raison précise – mais Alizée savait bien qu'elle était enceinte, c'était évident –, et elle eut pitié d'elle. La pauvre serait prise dans le même bateau que Nancy…

Arrivée à son cours de physique, Alizée revêtit son attirail de laboratoire et s'installa en attendant son partenaire. Depuis que Selena avait fait un commentaire sur Yannick, elle ne savait plus trop comment se comporter avec lui. Elle essayait de se montrer froide, mais elle n'y arrivait pas. Le jeune homme avait un sens de l'humour beaucoup trop contagieux. Pour l'instant, elle s'amusait avec lui dans le cours, mais lui parlait le moins possible en public. Il ne semblait pas trop s'en formaliser. Ils ne se devaient rien, après tout.

— Tu as l'air fatiguée, lui fit-il remarquer.

— Ça paraît tant que ça ? Le maudit bébé n'arrête pas de pleurer. Tout le monde est sur les nerfs à la maison. En plus, je commence mon nouveau travail ce soir. J'ai presque peur de m'endormir sur mon bureau…

— Ne t'inquiète pas, personne n'est jamais mort de manque de sommeil, l'encouragea-t-il.

— Oh ! Ça, ça me rassure, répondit-elle en riant. Je transmets le message à ma mère.

La jeune fille aimait blaguer avec lui, cela rendait généralement le cours plus divertissant. En plus, il comprenait toujours bien les notions et les lui réexpliquait bien mieux que leur enseignant. Une chance qu'elle était en équipe avec lui, car sans son aide, elle serait perdue, comme la majorité des élèves dans la classe. L'enseignant n'était pas trop du type pédagogue et son taux de réussite ne devait pas être très élevé.

Ce soir-là, après l'école, Alizée se dirigea vers le cabinet de médecins où Jacques travaillait en dehors de ses heures à l'hôpital. L'adolescente était très excitée par ce nouveau travail qui consistait essentiellement à appeler les patients pour confirmer leur rendez-vous. La paye était intéressante et elle fréquenterait des médecins. C'était déjà un premier pas pour elle dans l'univers de la médecine. Elle se présenta à la secrétaire qui lui fit revêtir une espèce de sarrau blanc, un peu semblable à celui qu'elle portait dans son cours de physique. Ce n'était pas très élégant, mais toutes les secrétaires avaient le même. Alizée se demandait vraiment pourquoi elle était obligée de faire comme les autres, puisqu'elle ne côtoierait pas de patients à proprement parler, mais elle préféra se taire en cette première journée. Elle se plaindrait à Jacques plus tard. On lui expliqua l'essentiel de son travail, puis on lui remit un casque mains libres avec une liste des noms et des numéros de téléphone des patients à joindre. C'était tout. Une chance qu'elle était débrouillarde. Peu habituée à appeler chez les gens, elle fut un peu stressée lorsqu'elle composa le premier numéro. Elle avait écrit sur un *post-it* un petit texte qu'elle pourrait débiter aux clients. Pour la suite, elle improviserait. Au premier appel, elle tomba sur un répondeur. Elle lut son petit message et raccrocha, satisfaite. Puis, elle réalisa qu'elle avait oublié de laisser le numéro de rappel au cas où la personne déciderait d'annuler son rendez-vous. *Merde!*, se dit-elle. Est-ce qu'elle devait rappeler? C'était bien trop gênant. Finalement, elle se dit que si la personne qu'elle avait tenté de joindre voulait vraiment reporter son rendez-vous, elle était assez grande pour chercher le numéro toute seule. En plus, la plupart des gens avaient l'afficheur... Rassurée, elle composa le deuxième numéro sur sa liste. Elle tomba sur une gentille vieille dame qui prit le temps de lui raconter sa vie au complet avant de confirmer son rendez-vous. *Bon! J'espère que les autres patients ne me parleront pas autant. Je ne serai pas sortie d'ici avant minuit, à ce rythme-là,* se dit-elle en raccrochant. Elle réussit finalement à prendre un rythme assez rapide et arriva enfin au bout de ses appels. Généralement, elle tombait sur les répondeurs, ce qui était normal compte tenu de l'heure. C'était bien plus facile de cette façon !

— Alizée, as-tu terminé les appels? l'interpella une infirmière.

— Oui, je viens de finir.

— Très bien. Viens avec moi, je vais te montrer à classer les dossiers des patients. Ça fait aussi partie de tes tâches.

— OK.

Elle suivit l'infirmière qui lui expliqua brièvement leur système de classement. Le principe était assez simple en soi, mais le nombre de dossiers était volumineux. Alizée se retint de dire à l'infirmière qu'ils devraient classer les filières au fur et à mesure, question d'être plus efficaces, mais qui était-elle pour juger? Leur système avait le mérite de créer un emploi; elle ne pouvait pas cracher là-dessus. Elle termina donc son classement cinq minutes avant la fin de son quart de travail. Elle fureta quelques minutes dans les rangées et repéra le nom d'une ou deux personnes qui fréquentaient son école. Hum!, si elle avait le temps, elle pourrait jeter un œil à leur dossier…

Quelques jours plus tard, Alizée participait à une autre réunion du comité du bal. Elle en profita pour montrer les photos qu'elle avait trouvées et son idée commença à faire l'unanimité. Seule Isabelle, une autre fille de cinquième secondaire, ne semblait pas d'accord avec elle. La connaissant bien, Alizée se doutait que son refus n'était pas dû au fait qu'elle n'aimait pas son idée, mais plutôt à celui qu'elle n'avait pas eu elle-même l'idée. Les deux filles s'obstinèrent pendant dix bonnes minutes, puis Mme Villeneuve intervint et suggéra de passer au vote. On vota à l'unanimité pour l'idée d'Alizée et cette dernière rangea ses photos *glamour* avec un sourire satisfait à l'intention d'Isabelle qui était rouge de colère.

— On va dîner, les filles ? suggéra-t-elle sponta-
nément à Charlotte et Sarah.

Les deux amies échangèrent un regard puis
acceptèrent d'un signe de tête. Elles s'installèrent
à la cafétéria, et Alizée questionna Sarah sur son
chum des Rocheuses, bien qu'elle brûlât de discuter du bal et de son idée géniale. La jeune fille lui
répondit brièvement : tout allait comme sur des
roulettes. De son côté, même si Alizée ne l'avait
pas encore questionnée, Charlotte se montra plus
loquace : elle avait un garçon en vue et comptait
bien l'inviter très bientôt à faire une activité.
Alizée se montrait à la fois très surprise et très
fière de la nouvelle confiance de Charlotte. Elle se
plaisait à penser que tout cela était grâce à elle.
Après tout, si elles ne s'étaient pas chicanées à
la fin de leur troisième secondaire, Charlotte
serait toujours la même fille insipide… Elle continua donc à écouter ce qu'elle disait d'une oreille
distraite, pensant toujours au bal et à Isabelle qui
avait cru que son idée pourrait être meilleure que
la sienne. Franchement, c'était ridicule !

— Et toi, Alizée, toujours personne en vue ?

La question la prit par surprise. Depuis le
début de l'année, elle avait envie de confier sa
mésaventure avec Cédrick à quelqu'un et voilà
que le moment était enfin arrivé. Toutefois, elle
eut une sorte de blocage. Charlotte remarqua son

trouble et insista pour qu'elle se confie. Après un bref moment de réticence, elle raconta toute son histoire, ainsi que les émotions qu'elle avait ressenties quand elle avait appris que Cédrick était fiancé. Cela lui fit du bien et lui permit aussi de constater que, finalement, elle n'avait plus de sentiments pour lui. Elle le trouvait même un peu ridicule d'avoir essayé de séduire une fille de dix ans sa cadette : il fallait pratiquement être désespéré pour faire ça…

— Je n'en reviens pas, dit Charlotte. Il n'est vraiment pas correct, ce gars-là. Il me semble que, quand tu rencontres une fille, la première chose que tu lui dis, c'est que tu as une blonde, non ?

Elle chercha l'approbation de Sarah et d'Alizée et les deux hochèrent la tête en signe d'assentiment.

— En tout cas, j'espère que ton prochain chum sera plus gentil que ça, conclut-elle.

Alizée esquissa un sourire, puis la conversation reprit sur un autre sujet.

— Sarah, as-tu encore ton bandage dans ton casier ? demanda Charlotte.

— Quel bandage ?

— Tu sais, celui que tu portais quand tu t'es foulé le poignet ?

— Euh, oui. Pourquoi ? Tu as mal quelque part ?

— Non, mais je veux le mettre quand même pour mon cours d'édu. On joue au volley et je suis vraiment poche. Je veux faire croire au prof que je me suis foulé le poignet et que je ne peux pas faire l'évaluation.

— Mais tu vas devoir faire l'examen un jour ou l'autre…, lui fit remarquer Sarah.

Charlotte haussa les épaules.

— Il nous reste seulement deux cours avant de changer de plateau. Après, on fait de la piscine. Il ne me donnera pas de note, c'est tout. J'ai déjà entendu un élève blessé dire ça. Supposément que ça ne change rien au résultat final, en plus.

— Es-tu sûre ? Moi, je pense que si tu n'as pas de billet de médecin, tu n'auras pas le choix de faire ton test, conclut Sarah.

Charlotte était certaine que son plan était infaillible et elle n'aimait pas trop que Sarah lui dise le contraire.

— Me le prêtes-tu ou pas ? s'énerva-t-elle.

— Ben oui, pogne pas les nerfs pour ça…

— Tu sais, Charlotte, s'il te faut un billet du médecin, je peux facilement t'en procurer un.

Les deux filles regardèrent Alizée qui était aussi surprise qu'elles par la proposition qu'elle venait de faire.

— Tu penses que Jacques accepterait de me signer un billet? Il va bien voir que je ne me suis pas foulé le poignet pour de vrai… En plus, c'est même pas mon médecin. Est-ce qu'il apporte ses papiers de prescription à la maison? Je pourrais toujours aller le voir après l'école et faire croire que je me suis blessée. Comme je n'ai pas de médecin de famille, il va peut-être se montrer généreux avec la pauvre patiente orpheline que je suis…

Charlotte n'arrêtait vraiment pas de parler. Alizée l'interrompit d'un mouvement de main.

— Non, ce n'est pas Jacques qui va te fournir un papier, c'est moi!

— Toi?

— Bien sûr! À mon nouveau travail, le système de billets médicaux est entièrement informatisé. Je suis certaine que je peux t'en imprimer un sans problème, expliqua Alizée.

— Ce n'est pas un peu risqué? Voire illégal? lui fit remarquer Sarah.

— Ce n'est pas comme si je lui prescrivais des antidépresseurs, quand même. Il s'agit d'un billet tout ce qu'il y a de plus banal. Ça ne fera de mal à personne.

— Et si jamais le prof d'édu découvre que c'est pas vrai? continua Sarah qui se faisait toujours l'avocat du diable.

— Je serais bien étonnée que M. Dubé aille s'assurer que la signature sur le billet est vraie, plaida Charlotte. Et comme dit Alizée, c'est juste un billet d'exemption : rien de bien dramatique.

Les yeux de Charlotte brillaient tellement elle semblait excitée par leur plan. Sarah, elle, n'aimait pas vraiment l'idée, mais c'était vrai qu'il y avait peu de risques.

— En tout cas, je ne veux pas être mêlée à votre histoire, conclut-elle. Réglez ça entre vous, je m'en vais au local d'art.

— Je vais aller chercher le bandage à ton casier avant mon cours d'édu. À tantôt! lui dit Charlotte.

— Bye! ajouta Alizée.

Sarah leur fit un signe de la main et entra dans le local d'art pour discuter avec son enseignante.

— OK, voici le plan. Aujourd'hui, tu mets le bandage de Sarah et tu dis au prof d'édu que tu vas avoir ton billet médical pour le prochain cours. Moi, je travaille demain soir. Dès que les infirmières partent, je vais imprimer ton billet et je te l'apporte le lendemain. Ça te va ?

— C'est parfait ! Merci, Alizée. Tu me sauves la vie. Je déteste ce cours-là…

Alizée était assez satisfaite de son idée. De cette façon, Charlotte lui serait redevable et, comme elle ne lui demandait rien en retour, Sarah ne pourrait pas dire qu'elle profitait de son amie. C'était assez gagnant comme stratégie. Bon, il ne fallait pas qu'elle se fasse prendre, mais elle travaillait à la clinique depuis quelques semaines et connaissait déjà la routine des infirmières. Il n'était pas rare qu'elle se retrouve seule dans le bureau à ranger des dossiers ou à faire des appels de dernière minute.

— Bon, si ça ne te dérange pas, je vais aller m'asseoir avec les filles du *cheers* quelques minutes. Elles veulent toujours avoir un compte rendu de chaque réunion du comité du bal, expliqua Alizée. Tu peux venir avec moi, si tu veux…

— Non, merci. Ça ne m'intéresse plus comme groupe. Je vais aller chercher le bandage de Sarah à la place, répondit Charlotte.

— Très bien ! À plus !

Après un dernier au revoir, Alizée s'installa à la table des *cheers*. Aussitôt, Selena lui demanda comment s'était passée sa réunion. Elle leur fit un bref compte rendu et leur montra même les photos de bals en noir et blanc. Toutes approuvèrent son idée, ce qui acheva de la convaincre que son choix était le meilleur. La soirée serait l'une des plus belles jamais vues.

— Hé! regardez! Magalie arrive, les interrompit Selena.

Tous les regards convergèrent vers Magalie qui marchait tranquillement vers elles. Sa démarche était étrange : ses jambes étaient arquées plus qu'à l'ordinaire.

— Pourquoi elle marche comme ça? demanda l'une des filles à table.

Alizée l'observa attentivement. Elle n'était pas vraiment amie avec Magalie, mais elle la connaissait depuis assez longtemps pour remarquer que quelque chose clochait dans sa façon de se déplacer. Elle vint s'asseoir à leur table silencieusement et ouvrit sa boîte à lunch.

— Ça va, Magalie? lui demanda Selena.

— Oui, répondit-elle d'un ton un peu bourru.

Selena fronça les sourcils. Si elle n'était pas de bonne humeur, pourquoi prenait-elle la peine de venir s'asseoir avec elles ?

— Tu n'es pas venue à la pratique, hier, lui fit remarquer Selena.

— Non. Je me suis blessée au volley-ball.

Voilà qui expliquait sa démarche étrange. Elle avait vraiment l'air de souffrir. Quand elle s'était assise, elle avait grimacé. Toutes les filles autour de la table commencèrent à discuter des blessures qu'elles s'étaient faites dans différents sports, ce qui embêta Alizée, car elle aurait aimé que ses amies continuent à s'exclamer sur son idée géniale de bal noir et blanc. Un peu froissée, elle fixa Magalie qui mangeait son repas sans appétit. Voyant bien qu'elle n'était plus le centre d'attention, la blessée sortit un contenant de médicaments et le déposa sur la table, directement dans l'angle de vue d'Alizée. Puis, elle se pencha pour prendre une bouteille d'eau dans sa sacoche. Pendant ce temps, Alizée analysa le contenant et le nom qui était inscrit dessus. Comme elle voulait devenir chirurgienne-plasticienne, tout ce qui relevait de la médecine l'intéressait... Ou était-ce de la curiosité malsaine ? Le contenant de médicaments resta bien en évidence sur la table jusqu'à la fin de l'heure du dîner. Les filles

99

retournèrent à leur cours et, comme elle avait un examen de français, Alizée oublia ce qui venait de se passer avec Magalie.

Plus tard ce soir-là, Alizée était assise à la table de la cuisine et faisait ses devoirs. Sa mère était déjà couchée avec Laurier et Jacques s'occupait de sa paperasse au bout de la table. La jeune fille aimait bien ces petits moments en tête-à-tête : Jacques savait lui inspirer le calme. Elle terminait son travail de français quand elle repensa à ce qu'elle avait lu ce midi-là.

— Jacques ?

Il releva la tête, surpris.

— Oui ?

— J'ai une question pour toi.

— Pas une question de français, j'espère. Tu sais que je ne suis pas très bon là-dedans…

— Non, ça n'a aucun rapport. Je voulais faire une recherche, mais j'ai complètement oublié. Connais-tu le médicament Zori... Zorifax ? Ou quelque chose comme ça ?

— Tu veux probablement dire Zovirax.

— Oui, c'est ça !

Il eut l'air soucieux.

— Pourquoi tu me demandes ça, au juste ?

— Tu me connais, dès que je tombe sur un terme de médecine, je veux en apprendre davantage...

Il sourit, fier qu'elle soit aussi impliquée dans ses apprentissages.

— C'est un médicament qui est généralement utilisé pour soigner la varicelle, lui apprit-il.

— Ah oui ? Tu es sûr de ça ?

Alizée était surprise, elle n'avait perçu aucun symptôme de varicelle chez Magalie. Mais c'était peut-être préventif...

— À plus forte dose, c'est aussi un médicament pour traiter l'herpès génital, continua Jacques.

Alizée fut tellement surprise qu'elle en renversa son verre d'eau. Zut ! Son travail de français était trempé.

— Ça va ? demanda Jacques.

— Oui, oui. Je suis maladroite, s'excusa-t-elle.

— Où as-tu entendu parler de ça ? demanda-t-il en se replongeant dans ses papiers.

— Euh, à la clinique, mentit-elle.

— Ah oui ? Tu sais que les informations que tu entends doivent rester confidentielles…

— Mais oui, dit-elle d'un ton agacé. C'est juste un nom de médicament qu'une infirmière a prononcé. J'étais curieuse. Ne t'inquiète pas, je suis très professionnelle !

Jacques lui sourit.

— Je n'en doute pas ! conclut-il.

Le lendemain, bien qu'elle ait certifié à Jacques qu'elle était très professionnelle, elle imprima un billet médical au nom de Charlotte. Puis, elle fureta dans les dossiers pour voir si Magalie était une patiente du bureau. Elle aurait ainsi pu confirmer que la jeune fille avait bel et bien l'herpès, mais aucun dossier ne portait son nom.

Alizée fut un peu déçue, mais en même temps, elle se serait sentie mal de feuilleter le document. Elle avait quand même une certaine éthique de travail. De toute façon, à voir Magalie marcher, il était évident que quelque chose la dérangeait entre les deux jambes. Elle avait beau faire croire aux gens qu'elle s'était blessée au volley, Alizée, elle, n'était pas dupe. D'ailleurs, ses médicaments le confirmaient : elle avait couché avec un garçon peu recommandable sans protection. Pauvre fille...

Le jour suivant, Alizée remit solennellement le billet du médecin à une Charlotte ravie.

— Tu n'as pas pris trop de risques, j'espère, lui demanda-t-elle en agrippant le billet de sa main faussement bandée.

— Pas le moins du monde. Je pourrais presque en faire une carrière, blagua Alizée.

— Le pire est que tu pourrais sûrement te faire de l'argent avec ça, lui dit Charlotte. Il y a plein de monde qui payerait pour avoir un faux billet de médecin.

Charlotte avait dit ça assez naïvement, mais l'idée plut à Alizée. Pas qu'elle eût besoin d'argent ou qu'elle désirât vraiment falsifier des billets de médecin, mais ce genre de commerce lui donnerait un certain pouvoir dans l'école.

— Tu ne vas pas faire ça, la mit en garde Charlotte. Je plaisantais en disant cela…

— Ben non. Je ne suis pas folle, quand même.

— OK. Pendant un instant, j'ai pensé que tu considérais vraiment mon idée…

— Peut-être, lui dit Alizée d'un ton énigmatique. Mais en attendant, profites-en. Tu es la seule à en bénéficier.

Après l'école, exceptionnellement, Alizée se rendit à la bibliothèque pour étudier. Comme elle avait un examen de physique le lendemain, Yannick lui avait proposé de réviser avec elle, ce qu'elle avait accepté avec empressement. L'avantage d'étudier avec lui après l'école était qu'il y avait moins de risques que d'autres élèves les remarquent.

— Bon, commençons, si nous voulons terminer, dit-elle en s'asseyant à côté du jeune homme.

— Pourquoi? As-tu des plans spéciaux ce soir?

— Pas vraiment, c'est juste que je n'aime pas m'éterniser dans les études…

— Je suis d'accord pour qu'on fasse ça vite, j'ai quelque chose de prévu, annonça-t-il.

— Ah oui? demanda Alizée surprise. Tu vas faire quoi?

Il fit un sourire mystérieux, mais ne répondit pas. À la place, il ouvrit son cahier de physique. Alizée fit donc de même, se demandant ce qu'il lui cachait ainsi. Ils n'étaient pas si proches que ça, mais ils s'étaient quand même déjà fait quelques confidences… Pourquoi était-il si discret? Ils commencèrent à étudier quand Charlotte entra à la bibliothèque, surexcitée.

— Salut, Alizée! Allô, Yannick!

— Salut, Charlotte, répondit Yannick. Ça va?

— Oui, merci. Oh, en passant, il y a une fille qui te cherchait au casier.

Le regard du jeune homme s'illumina un instant, puis il redevint normal, mais cela n'échappa pas à Alizée. Qui était donc cette fille qui «allumait» Yannick de la sorte?

— Alizée, le billet a fonctionné parfaitement! s'exclama Charlotte. Le prof n'y a vu que du feu…

— Quel billet? demanda Yannick.

Charlotte, toujours aussi bavarde, expliqua à son petit cousin qu'Alizée lui avait fourni un billet d'exemption pour son cours d'éducation physique. Satisfaite de son pouvoir, la principale concernée fit un grand sourire à son partenaire de laboratoire, mais ce dernier la regarda d'un air réprobateur. Son sourire se figea sur son visage lorsqu'elle vit l'air de Yannick. Charlotte continua à bavarder de tout et de rien, puis les laissa étudier.

— Tu ne devrais pas faire ça, la mit-il en garde, une fois Charlotte partie.

Son commentaire la froissa. Qui était-il pour la juger de la sorte?

— Ce n'est pas comme si ça changeait quelque chose dans ta vie, répondit-elle un peu froidement.

— Tu as raison, mais Charlotte est très bavarde. Imagine qu'elle en parle à quelqu'un d'autre et que ça se sache. C'est illégal, ce que tu fais là…

Alizée n'aimait pas se faire sermonner de la sorte, mais plutôt que de l'exprimer clairement à Yannick, elle se referma et préféra jouer à la snob.

— Je parie que tu es jaloux parce que tu voudrais toi aussi pouvoir rendre service aux autres et être populaire, dit-elle d'un ton suffisant.

Yannick fronça les sourcils et referma son livre de physique. Puis, il se leva.

— Qu'est-ce que tu fais? demanda Alizée un peu alarmée de le voir partir.

— À ce que je vois, tu me connais très mal. Je ne cherche pas la popularité et tu le sais très bien. Je voulais seulement te mettre en garde, mais tu ne sembles pas ouverte à la critique constructive. Reviens me voir quand la gentille Alizée sera de retour.

Et il la planta là. L'adolescente était vraiment surprise qu'il ait osé lui parler de cette façon. À part Sarah au moment de leur chicane, personne ne lui avait jamais tenu tête. C'était dur sur l'orgueil, d'autant plus qu'elle aimait bien Yannick : il fallait qu'elle se l'avoue... Elle ramassa elle aussi ses affaires et se dirigea vers les vestiaires. Allait-elle y croiser le jeune homme et son «amie»? Si oui, elle les ignorerait, tout simplement. Elle marcha jusque chez elle et ne croisa personne de sa connaissance en chemin. Cela lui laissa le temps de réfléchir à la mise en garde de son compagnon. Charlotte était très bavarde, ce n'était pas un secret. Avait-elle pris un risque en lui imprimant le billet d'exemption ? Oui, bien entendu. Mais c'était un risque calculé. Personne ne le saurait jamais. Et si on lui demandait de le refaire, elle dirait non. Elle aimait bien son travail à la clinique et ne voulait pas le perdre. Sa décision prise, elle sentit un poids s'enlever de ses épaules, même si toute cette histoire la mettait de mauvaise humeur. Il faudrait qu'elle s'explique avec Yannick ; elle ne pouvait pas se permettre d'être en chicane avec son partenaire de laboratoire, mais en même temps, elle ne voulait pas lui donner raison. Sa mauvaise humeur s'amplifia : pourquoi la vie était-elle si compliquée ?

Le son d'un bébé qui pleure l'accueillit à la maison. Juste à voir l'air de sa mère, Alizée sut que le petit Laurier ne lui avait pas laissé une minute de répit de la journée. Ça tombait mal, car l'adolescente avait vraiment besoin de se concentrer pour étudier en vue de son examen de physique. Après une demi-heure, frustrée de ne pas être capable de travailler en silence – le bruit la dérangeait constamment et lui tombait sur les nerfs –, elle monta pour se plaindre.

— Coudonc, il n'arrête jamais de brailler, lui ! s'écria-t-elle.

— Alizée, j'ai déjà un bébé à gérer, c'est assez. Garde tes commentaires pour toi, répondit Nancy sèchement.

— Bon, on ne peut plus s'exprimer ouvertement, ici ?

— Oui, mais réfléchis avant de parler.

— Pourquoi ? As-tu réfléchi, toi, avant de faire un autre bébé ? Si oui, ça ne paraît pas...

— Alizée ! Ça suffit ! Si tu trouves qu'il pleure trop, prends-le un peu. On va voir si tu peux faire mieux, répondit Nancy, excédée.

— Non merci. J'ai mieux à faire que de m'occuper d'un bébé qui pleure. J'ai une vie, moi !

— Oh ! Chanceuse, lui répondit sa mère d'un ton sarcastique. Madame a une vie. Eh bien, si on te dérange trop, la porte est ouverte. Tu n'as qu'à la prendre.

— Parfait ! C'est ce que je vais faire.

— Et tu vas aller où, comme ça ?

— Qu'est-ce que ça peut bien te faire ?

— Tu es ma fille et tu es mineure, répondit Nancy.

— Je vais aller chez Charles. Lui, il sera content de me voir.

— Bon, encore un mélodrame. Comme si nous on n'était pas contents de te voir.

Alizée courut chercher son sac à dos et sortit en claquant la porte. Elle marcha pendant quelques minutes puis s'arrêta et s'assit sur un banc. À quoi tout cela rimait-il? Cette chicane était-elle vraiment nécessaire? Nancy ne l'avait pas facile avec le bébé, il fallait le lui concéder. Au lieu de chialer, Alizée aurait pu l'aider un peu, mais à la place, elle avait préféré lui crier après. Elle songea à faire demi-tour et à aller s'excuser sur-le-champ à sa mère, mais elle n'en avait pas vraiment envie. Pas pour le moment. Elle l'appellerait plus tard dans la soirée, quand le bébé serait couché. À ce moment-là de la journée, Nancy était toujours un peu plus calme. Arrivée devant la maison de Charles, elle prit son cellulaire pour lui envoyer un message texte. Elle constata en même temps que sa mère ne lui avait pas écrit pour s'excuser, ce qui n'améliora pas son humeur.

> Je suis devant chez toi...
> Mauvaise journée. ☹

Son ex-beau-père lui répondit dans la minute.

Qu'est-ce qui se passe ?

Me suis chicanée avec maman.

Grosse ou petite chicane ?

Moyenne… lol ☺

T'en fais pas, elle s'en remettra. ☺
Rentre et installe-toi. J'arrive bientôt !

Alizée sourit en fermant son téléphone. Elle trouva la clé au fond de son sac à main et entra. Elle fit comme Charles lui avait recommandé et s'installa confortablement. Elle avait hâte qu'il arrive. En attendant, elle profiterait du calme de la maison pour s'avancer dans ses études et faire le point sur ce qu'elle venait de vivre. Ça avait été une drôle de fin de journée…

Alizée aimait bien la maison de son ex-beau-père. Elle était moderne et luxueuse, mais pas trop, à l'image de son propriétaire. Ce dernier habitait seul; l'adolescente ne savait pas s'il fréquentait encore l'agente immobilière avec qui elle l'avait vu quelques mois plus tôt. Il se montrait très discret sur le sujet. Quand Charles arriva, elle avait déjà commencé à étudier, même si la tête n'y était pas. Elle sourit quand il entra dans la pièce et son sourire s'agrandit davantage quand elle comprit qu'il s'était arrêté à son restaurant libanais préféré en chemin. Ils se régaleraient! Pendant qu'elle mettait la table, ils papotèrent comme dans le bon vieux temps, puis une fois leur assiette bien garnie, elle lui parla de sa chicane avec sa mère. Ensuite, elle remonta plus loin dans le courant de sa journée et lui confia même qu'elle avait imprimé un faux billet de médecin. Alizée vit ses lèvres se pincer quand elle lui avoua cela, mais il ne dit rien, ce qu'elle apprécia. Quand elle eut terminé de tout raconter, elle sentit un poids s'enlever de ses épaules. Charles essuya sa bouche avec sa serviette de table, se leva, prit une bière dans le frigo et vint se rasseoir.

— Quel était ton objectif en me racontant tout cela? demanda-t-il finalement.

— Je ne suis pas certaine de comprendre…

— Tu voulais juste te vider le cœur ou tu voulais que je t'aide à trouver des solutions pour résoudre tes conflits ?

Alizée réfléchit un moment. C'était une bonne question. C'est sûr que ça faisait du bien de tout raconter à quelqu'un, mais ça ne réglait pas tout…

— Les deux, je pense, répondit-elle finalement.

— Excellent ! Nous devons nous y mettre, alors. On n'a pas toute la soirée. On commence par quoi ?

— Ma mère, je suppose.

Elle se leva en soupirant et prit son cellulaire. Appeler ou texter ? Les messages texte seraient plus faciles.

— Tu peux prendre le téléphone de la maison, lui dit Charles, comme s'il lisait dans ses pensées.

Bon, elle n'avait pas le choix : elle devait appeler.

— Je vais ranger les restes pendant que tu appelles Nancy. Va donc dans le salon.

La conversation ne dura que quelques minutes. Alizée s'excusa et expliqua à sa mère qu'elle avait eu une mauvaise journée. Elle ne pensait pas ce qu'elle disait. Elle termina même en lui disant qu'elle était une très bonne mère. Au début, Nancy se montra froide, mais les paroles de sa fille la déridèrent et elle accepta ses excuses. Elle-même s'excusa d'être moins présente et trop fatiguée. Quand Alizée raccrocha, elle était satisfaite de leur conversation. Elle n'aimait pas vraiment la chicane.

— Ça s'est bien passé? demanda Charles qui terminait sa bière.

— Mieux que je pensais!

— Excellent. Maintenant, tu dois régler ta chicane avec Yannick.

— Je pense que je vais aller le voir directement chez lui. Je sais où il habite.

— Très bien. Tu veux que je te reconduise?

— Non, ça va me faire du bien de prendre l'air. Merci pour le souper. Je pense que je vais retourner coucher chez moi, par exemple.

— Pas de problème. Comme tu sais, tu es toujours la bienvenue ici, ajouta-t-il en souriant.

Alizée prit son sac et se dirigea vers la porte d'entrée.

— Une dernière chose, Alizée.

— Quoi?

— J'aimerais que tu dises la vérité à Jacques à propos du billet d'exemption que tu as fait imprimer.

— Hein! Pourquoi?

— Jacques est le mari de ta mère et c'est important qu'il te fasse confiance, expliqua-t-il.

— Ben là, justement, si je lui dis ça, il ne me fera plus confiance.

— Je t'ai toujours appris que l'honnêteté est une valeur primordiale dans une famille.

Alizée roula des yeux, oubliant du même coup toute l'aide que Charles lui avait apportée dans les dernières heures.

— C'est comme tu veux. Mais si tu ne le lui dis pas, je vais le faire, conclut son ex-beau-père d'un air sérieux avant de refermer la porte derrière lui.

5
La préparation au bal

Alizée se retrouva sur le trottoir, un peu éberluée. Elle ne s'était pas attendue à ce que Charles lui impose cela. Elle se sentait trahie. Son orgueil aussi en prenait un coup : elle avait réussi un coup de maître en falsifiant le billet et voilà qu'elle devait avouer son crime. Elle perdrait sûrement son emploi et sa mère serait dans une rage noire. Autant Nancy l'avait défendue dans les dernières années, autant maintenant elle la laissait voler de ses propres ailes et ne se battait plus corps et âme pour elle. Elle était bien trop occupée par sa nouvelle vie. Ressentant de l'amertume, l'adolescente se mit en marche vers le domicile de Yannick. Il n'habitait pas très loin de l'école et Alizée prit son temps pour se rendre jusque chez lui. Elle aurait pu le texter, mais elle préférait se présenter en personne. En marchant, elle réfléchit à la façon dont elle pourrait dire à Jacques qu'elle avait commis une bêtise. Elle se défendrait en lui expliquant qu'elle ne voulait pas mal faire et que personne n'avait été en danger. Arrivée devant le domicile du jeune homme, elle fut tentée de tourner les talons. Yannick était son partenaire de science et elle aimait travailler avec lui : c'était évident. Mais de là à piler sur son orgueil et s'excuser? Elle n'en était pas encore certaine. Elle en était encore à se demander si elle allait frapper à la porte quand celle-ci s'ouvrit. Yannick sortit, son *skateboard* à la main. Il lui fallut quelques secondes pour remarquer Alizée et il eut l'air très surpris de la découvrir là.

— Qu'est-ce que tu fais ici? lui demanda-t-il.

— Je...

Elle lui fit un sourire timide.

— Je ne veux pas te déranger, je vois que tu t'en allais.

— Je peux quand même t'accorder quelques minutes, mais seulement pour la gentille Alizée, dit-il en faisant référence au commentaire qu'il lui avait fait un peu plus tôt.

— Oui, je comprends. C'est elle qui parle.

— Parfait, répondit-il en souriant. Viens, on peut aller s'asseoir là.

Il lui indiqua une balancelle installée sur le côté de la maison. Alizée la regarda d'un air critique. Ça serait bizarre de s'asseoir là, ce genre de truc étant généralement réservé aux cinquante ans et plus, mais elle s'y installa quand même. Yannick se glissa en face d'elle et cela lui remémora les fois où elle était allée manger une crème glacée avec Charles et Nancy. Invariablement, ils s'assoyaient dans la balancelle à côté de la crèmerie. Elle sourit en repensant à ce souvenir et eut envie d'une bonne crème glacée, bien que l'automne soit assez avancé.

— Donc, tu voulais me parler de quelque chose de spécial ?

— Oui, je voulais m'excuser. Je n'ai pas été très gentille. Et je ne pense pas que tu es jaloux…

— C'est correct, on a tous des mauvaises journées, je suppose.

C'était sa façon à lui de lui pardonner.

— As-tu trouvé le temps d'étudier pour demain ?

— Pas vraiment. Je n'avais pas trop la tête à ça. Et toi ?

Il haussa les épaules.

— Je me trouve prêt pour l'examen. Mais si tu veux, on peut se voir demain matin pour faire une dernière révision.

— J'aimerais ça, oui, répondit-elle soulagée de retrouver le bon vieux Yannick.

— OK.

Il regarda son téléphone cellulaire.

— Tu as d'autres plans ? demanda Alizée.

— Oui. En fait, je suis même un peu en retard.

— C'est correct, vas-y. Je m'excuse de t'avoir retardé.

— Ben non, y'a pas de problème. On se voit demain !

Après un dernier salut, Alizée le regarda s'en aller en roulant sur son *skateboard*. Elle se demandait qui il allait rejoindre ; il se montrait toujours un peu trop discret à son goût. Au moins, c'était un problème réglé. Maintenant, il fallait qu'elle affronte Jacques.

Il faisait noir depuis longtemps quand la jeune fille poussa la porte de sa maison. Sa mère était installée dans le salon et regardait la télé, profitant d'un moment de répit. Pas de trace de Jacques à l'horizon.

— Salut, tu es toute seule ? demanda-t-elle à Nancy.

— Oui, Jacques a été appelé à l'hôpital pour une urgence.

— Une urgence ?

— Un patient qui est en train de mourir, je pense.

— Oh ! Ça ne doit pas être plaisant…

— C'est le lot des oncologues, répondit sa mère.

Alizée se demanda comment elle pouvait être aussi détachée face à la situation. Elle-même se sentait assez mal à l'aise de savoir que son beau-père se trouvait actuellement au chevet d'une personne mourante. Finalement, elle préféra ne pas trop y penser. La bonne nouvelle était que cela lui donnait un sursis pour discuter avec Jacques. Sa mère était totalement prise dans son émission et ne souhaitait clairement pas discuter avec elle. Alizée alla donc se réfugier dans sa chambre. Elle envoya un message à Charles pour lui dire que Jacques était absent, mais qu'elle lui parlerait sans faute dès le lendemain. Elle n'attendit pas sa réponse et ferma son téléphone. Il fallait maintenant qu'elle trouve l'énergie pour réviser la physique. Étudier quelques minutes avec Yannick le lendemain ne serait pas suffisant. Elle s'installa donc sur son lit, mais après trente minutes, elle constata que c'était peine perdue. Elle éteignit la lumière et s'endormit, épuisée par sa folle journée.

Le lendemain, elle se réveilla tôt. Elle se prépara pour l'école et monta dans la cuisine. Elle eut la surprise d'y découvrir Jacques. Sa barbe n'était pas faite et ses yeux étaient rougis, signe qu'il n'avait pas dormi depuis plusieurs heures. Ce n'était peut-être pas le bon moment pour discuter avec lui...

— Ah! tiens! Bonjour, Alizée.

Il se donnait un ton joyeux, mais l'adolescente voyait bien qu'il avait eu une nuit difficile. Ça ne devait pas être facile tous les jours de perdre un patient. Elle, au moins, si elle devenait chirurgienne-plasticienne, elle ne risquait pas de voir beaucoup de gens mourir. Au contraire, elle les verrait s'épanouir grâce à leur nouveau visage ou leurs nouveaux seins!

— Grosse nuit, Jacques? demanda-t-elle en se servant un verre de jus d'orange.

— Oui. On a perdu Mme Tremblay. Je pensais que ses traitements fonctionneraient, mais elle a fait une réaction allergique à son nouveau médicament et nous n'avons pas pu la sauver.

Il y avait du trémolo dans sa voix. À croire que cette Mme Tremblay était importante pour lui. Elle le laissa donc se vider le cœur pendant qu'elle se servait un bol de céréales. C'était la première fois qu'elle l'entendait parler ouvertement d'un patient et elle trouvait cela intéressant. Elle avait toujours pensé que les médecins n'éprouvaient pas vraiment d'empathie pour les malades. En même temps, elle eut une petite pensée pour la mère de Sarah qui était morte elle aussi du cancer l'année précédente. Ça n'avait pas dû être facile pour son amie…

— Bon, je vais me coucher, annonça Jacques. J'espère que Laurier ne nous fera pas la vie trop difficile aujourd'hui. Je suis crevé.

Ce n'était assurément pas le bon moment pour lui parler du billet falsifié. Elle le ferait ce soir-là. En sortant de la maison, elle actionna la sonnerie de son cellulaire et remarqua qu'elle avait deux messages. Le premier venait de Charles et était très prévisible.

As-tu parlé à Jacques ?

Elle répondit immédiatement.

Pas eu le temps. Ce soir. Promis. ☺

Le deuxième message venait de Charlotte.

> Party ce soir chez Jasmine. Tt le monde va être là. Viens-tu ?

Alizée réfléchit un instant. Elle n'aimait pas particulièrement Jasmine, mais si elle n'était pas chez elle, cela lui donnait une bonne raison de ne pas parler à Jacques.

> Je peux venir chez toi après l'école ? On ira ensemble.

> Chill ☺

C'était le plan idéal. En plus, Alizée était contente que Charlotte l'invite. C'était un autre pas vers le renouvellement de leur amitié. Comme la veille, elle rejoignit Yannick à la bibliothèque où ils eurent une bonne demi-heure pour réviser. La jeune fille se sentait maintenant prête à faire son examen. Une fois les livres fermés, elle consulta son cellulaire pour voir si elle avait d'autres messages. Charles ne lui avait pas répondu. Elle espérait qu'il ne mettrait pas sa menace à exécution.

— Vas-tu au *party* chez Jasmine ce soir ? demanda-t-elle à Yannick en se dirigeant vers le cours de physique.

— Je pensais peut-être aller faire un tour, lui apprit-il.

— *Nice*, on se verra là-bas, dans ce cas. Je vais y aller avec Charlotte. Je ne sais pas si Sarah va venir elle aussi.

— C'est assez rare de les voir l'une sans l'autre.

Alizée sourit à cette remarque. Charlotte et Sarah étaient un duo inséparable dans l'école. D'ailleurs, les filles venaient dans leur direction. Comme d'habitude, Charlotte était excitée comme une puce.

— Salut, Yannick ! Viens-tu au *party* ce soir ?

— Il y a des chances. Bon, on se voit tantôt, Alizée. Bye, les filles.

Sarah et Charlotte le saluèrent, puis les trois filles allèrent dans la cage d'escalier pour jaser, comme elles le faisaient souvent les années précédentes.

— J'ai quelque chose à te montrer, annonça Charlotte.

Sarah roula des yeux. Il était rare qu'elle soit en désaccord avec son amie, mais cette fois-ci, elle trouvait qu'elle exagérait.

— Regarde ça ! Je veux savoir ce que tu en penses.

Elle sortit une carte d'identité de sa poche. Ne sachant pas trop ce qu'elle devait regarder, Alizée observa la carte un moment et leva les yeux vers Charlotte, incertaine.

— Qu'est-ce qu'il y a de spécial avec cette carte? demanda-t-elle. Et c'est qui – elle regarda la signature – Janie Lapointe?

— C'est ma nouvelle fausse carte, annonça Charlotte. Je vais pouvoir l'utiliser ce soir pour acheter de l'alcool! Regarde, la fille me ressemble «au boutte». Tu trouves pas?

Encore une fois, Alizée analysa la photo. C'est vrai que cette fille ressemblait à Charlotte, mais elle avait vingt ans. Jamais Charlotte ne passerait pour vingt ans!

— Je te le dis. Tu t'es fait avoir! À la limite, si la fille avait eu dix-huit ans, peut-être que ça aurait fonctionné, mais pas avec vingt, conclut Sarah. Tu vas te faire prendre à coup sûr.

Pour une fois, Alizée était d'accord avec elle, mais elle préféra ne pas le dire. Charlotte était si excitée qu'elle n'avait pas envie de lui gâcher son plaisir, comme elle le faisait si souvent avant. Elle avait quand même tiré quelques leçons de leur chicane. Elle essaya de se montrer encourageante.

— Je ne pense pas que ça pourra fonctionner à la SAQ, mais peut-être dans un dépanneur. Les gens qui travaillent là s'en foutent de connaître ton âge. Tant que tu montres une carte…

Charlotte regarda Sarah pour voir si elle était d'accord avec Alizée. Cette dernière haussa les épaules.

— En tout cas, continua Charlotte d'un air convaincu, je vous garantis que ce soir, j'arrive avec de l'alcool que j'aurai acheté moi-même. Et pour vous prouver que ma carte va fonctionner, je vous paie quelque chose. Allez-y, passez-moi votre commande !

Sarah et Alizée embarquèrent dans le jeu et prirent quelques minutes pour faire un inventaire des boissons disponibles au dépanneur qu'elles pourraient aimer. Elles lui donnèrent même un peu d'argent, en espérant que le plan de Charlotte fonctionnerait. C'était évident que plusieurs personnes apporteraient de l'alcool, mais les filles n'aimaient pas vraiment la bière. Elles préféraient avoir leur propre boisson. Ensuite, Alizée alla faire son examen et, grâce à l'aide de Yannick, même s'ils n'avaient pas étudié si longtemps que ça finalement, elle n'eut aucun problème. Elle se promit de lui offrir quelque chose à boire au *party* pour le remercier de son aide. Sans lui, elle ne s'en sortirait pas. D'ailleurs, elle était contente qu'il participe lui aussi à la fête. Ce serait plaisant de le voir dans un autre contexte qu'à l'école. Ils auraient plus de temps pour jaser. Alizée s'arrêta net. Voyons. Qu'est-ce qu'elle était en train de se dire? Les filles du *cheers* seraient là aussi et elles riraient ouvertement d'elle si elles la voyaient parler avec lui, comme la dernière fois. L'adolescente soupira. Pourquoi tout était-il si compliqué dans la vie? Elle règlerait la question plus tard, car elle avait une rencontre du comité du bal.

— Les filles! J'ai une bonne nouvelle, annonça Mme Villeneuve une fois que tout le monde fut installé dans la classe où avaient toujours lieu les rencontres.

Tous les regards se tournèrent vers elle. Le thème du bal était déjà choisi; la salle, louée; l'œuvre d'art de Sarah était en cours d'exécution; tout allait comme sur des roulettes. Qu'est-ce que Mme Villeneuve avait donc à leur annoncer?

— Comme la fête de fin d'année n'aura pas lieu, en raison du «fiasco» de l'an passé, les enseignants et moi avons décidé d'organiser une activité pour les finissants et comme ça a un lien direct avec le bal, je vous l'annonce en primeur.

Il y eut des murmures de surprise dans la salle.

— Nous vous proposons de faire un voyage à New York au printemps, durant la semaine de relâche.

Tous les yeux se mirent à briller.

— Bien sûr, continua Mme Villeneuve, il y aura un caractère culturel au voyage; nous ne passerons pas notre temps dans les boutiques, mais vous aurez presque une journée entière consacrée à la tournée des magasins de robes de bal à prix abordables.

L'enseignante devait presque crier pour se faire entendre au-dessus de la cacophonie des voix des filles excitées par la perspective d'acheter leur robe chez un grand couturier new-yorkais. Peu d'entre elles en auraient les moyens, mais il était agréable de penser que c'était une possibilité. Alizée se remémora la promesse qu'elle avait extorquée à sa mère près de deux ans plus tôt, quand cette dernière lui avait offert un voyage dans la Grosse Pomme pour souligner son quinzième anniversaire. Il était question d'un voyage à New York pour acheter sa robe de bal, justement. Avec Laurier dans leur vie, il était maintenant impensable que Nancy se déplace jusqu'aux États-Unis pour une robe. La jeune fille était contente d'avoir la possibilité de réaliser son rêve, même sans sa mère.

— Le voyage sera annoncé officiellement la semaine prochaine. Je vous demanderais donc de garder ça mort d'ici là, leur dit Mme Villeneuve.

— Combien de personnes pourront participer? demanda Charlotte.

— Quatre-vingt-dix-neuf.

— Hein! pourquoi pas cent?

— La centième personne, ce sera moi! annonça Mme Villeneuve.

Les filles promirent de ne rien révéler aux autres élèves. Elles se comptaient vraiment privilégiées d'être les seules à connaître l'événement si excitant qui se préparait. En déambulant dans la cafétéria, elles se sentirent même un peu supérieures aux autres, ce qui n'était pas tellement désagréable!

— Ayoye! C'est trop *chill*! s'exclama Charlotte. J'ai vraiment hâte d'aller à New York, ajouta-t-elle d'un ton plus bas, en regardant autour d'elle pour s'assurer que personne ne l'entendait.

— Ne t'emballe pas trop vite, l'avertit Sarah. Il n'y a que quatre-vingt-dix-neuf places disponibles et on est trois cents finissants. Ça ne veut pas nécessairement dire qu'on va y aller.

Charlotte roula des yeux. Elle n'aimait pas qu'on gâche son bonheur.

— Moi, je suis convaincue que Mme Villeneuve va nous inscrire sur la liste. C'est certain. Elle peut pas nous l'annoncer en avance et s'attendre à ce qu'on fasse la file comme tout le monde pour obtenir notre place. On fait quand même partie du comité du bal et on va avoir des choses à acheter là-bas, conclut Alizée. T'inquiète pas, Charlotte. Prépare ton passeport, on part pour New York dans trois mois !

— Ouin, pis avec ma fausse carte, je vais pouvoir sortir dans les bars !

— Il faut avoir vingt et un an là-bas, lui apprit Sarah.

— Oh, c'est poche, d'abord.

Les trois amies commencèrent à discuter de ce qu'elles aimeraient acheter pour leur bal quand Alizée fut interrompue par un message texte.

— Tiens, c'est Jacques qui m'écrit. C'est bizarre.

Je dois te parler immédiatement après l'école.
Jacques

— Il est drôle, lui, il signe son nom. Comme si je ne reconnaissais pas son numéro… Mais je me demande ce qu'il veut…

J'ai une pratique de cheers et je vais à un party après.

Passe à la maison. Je t'attends à 4 h 30.

OK !

— *My God*, il est ben intense, lui, dit Alizée à ses amies.

— Ç'a l'air urgent, tu ferais peut-être mieux d'y aller, suggéra Charlotte. De toute façon, je vais m'occuper d'aller chercher l'alcool, donc tu es aussi bien de retourner chez toi que de venir chez moi.

Alizée acquiesça, déçue. Elle aurait bien aimé aller chez Charlotte avant le *party*, mais Jacques avait l'air de vouloir lui dire quelque chose d'important. Il avait fait beaucoup de choses pour elle, récemment. Elle ne pouvait pas vraiment lui dire non. Mettant cela de côté, elle alla rencontrer la *coach* pour lui dire qu'elle ne serait pas à l'entraînement à cause d'une urgence familiale. Cette dernière eut l'air un peu irritée que sa capitaine s'absente, mais Alizée lui fit croire qu'elle devait aider sa mère qui était épuisée depuis son accouchement. Ayant elle-même de très jeunes enfants – chose que la jeune fille savait – son entraîneuse la félicita d'être aussi aidante avec la nouvelle maman.

Arrivée chez elle, l'adolescente eut la surprise de ne pas y trouver sa mère. Seule la voiture de Jacques était dans l'entrée. Depuis que le club de golf était fermé pour l'hiver, l'homme de la maison était présent plus souvent. Alizée entra, enleva son manteau et ses bottes et se dirigea vers la cuisine. Elle avait quelques minutes de retard, mais Jacques l'attendait de pied ferme. Il n'avait pas l'air content. La jeune fille prit le temps de se prendre une collation et s'assit face à lui.

— J'aimerais que tu m'expliques ceci, dit-il en lui montrant une photocopie.

Alizée faillit avaler sa bouchée de pomme de travers quand elle reconnut le faux billet médical qu'elle avait fait imprimer pour Charlotte. Cela faisait à peine une semaine. Comment avait-il pu remonter jusqu'à elle aussi vite ? Elle était pourtant certaine d'avoir pris toutes les précautions nécessaires.

— Euh… je ne sais pas de quoi tu parles, mentit-elle.

Aussitôt, elle regretta ses paroles.

— Charlotte Tremblay. Ce n'est pas ton amie, ça?

— Bien sûr, mais il y a plusieurs Charlotte Tremblay. Savais-tu que le nom Tremblay est le plus commun au Québec?

— Ne me prends pas pour un idiot, Alizée. Nous n'avons aucune patiente qui porte ce nom à la clinique.

La jeune fille baissa les yeux et regarda ses mains. Elles tremblaient. Jamais elle n'avait vu Jacques dans une fureur si grande, mais le pire était qu'il avait l'air encore plus déçu que fâché.

— Comment as-tu su? demanda-t-elle finalement, avouant son crime du même coup. Je pensais que puisque tout était numérique, rien ne laissait de trace.

— Nous ne sommes pas fous, quand même. Tout est numérisé et enregistré sous notre numéro de pratique. Chaque semaine, nous vérifions que tout est en ordre. Je suis tombé sur ce papier-là, hier. Un papier à mon nom, mais imprimé au moment où la clinique était fermée. Ça ne m'a pas pris de temps à faire un plus un.

— Je suis désolée. Je ne voulais pas mal faire. Je voulais juste aider une amie. Ce n'est pas comme si je lui avais prescrit des médicaments...

Sa défense était loin d'être solide et elle le savait.

— Je ne recommencerai plus, c'est promis. Tu peux me faire confiance.

— C'est sûr que tu ne recommenceras plus parce que tu es congédiée.

— Quoi ? Ben voyons ! C'est injuste.

— Tu es chanceuse que ce soit l'unique sanction. Si quelqu'un d'autre que moi était tombé là-dessus, ç'aurait été bien pire.

— Jacques, s'il te plaît. Je te jure que je ne le ferai plus. Je l'ai fait seulement une fois. J'aime beaucoup mon travail, fais-moi pas ça…

— Tu aurais dû y penser avant, conclut Jacques d'un ton froid.

Elle eut envie de pleurer. Elle se trouvait vraiment niaiseuse de s'être fait prendre de la sorte. Une vraie débutante. Décidément, elle n'était pas faite pour une carrière de criminelle. Dès qu'elle dérogeait à la loi, elle se faisait prendre. Il en avait été de même l'année précédente quand elle avait emprunté la voiture de sa mère. Elle avait gagné un aller simple au poste de police… Le pire dans tout cela était qu'elle perdait un emploi qu'elle aimait et qui payait bien. Elle ne trouverait jamais plus quelque chose de semblable.

— L'as-tu dit à maman ? demanda-t-elle d'une voix chevrotante.

Il hésita.

— Non. Elle a déjà assez de soucis avec Laurier. Ça va rester entre nous. Tu lui diras que tu as lâché parce que tu manquais de temps pour tes études, elle va comprendre.

— Je suis désolée, Jacques. Vraiment…

— Pas autant que moi…

Et il la laissa seule dans la cuisine. C'était fini. Leur belle relation s'arrêtait là. Elle avait tout gâché et jamais elle ne pourrait à nouveau le regarder dans les yeux sans avoir honte. Elle aurait mieux fait d'écouter Charles et de lui en parler plus tôt. Ça aurait été sûrement moins pénible si elle lui avait dit la vérité plutôt qu'il la découvre lui-même. Quel choc il avait dû avoir! L'âme en peine, Alizée descendit dans sa chambre et se jeta sur son lit. Avec Jacques fâché contre elle et la perte de son emploi, les chances que sa mère la laisse aller à New York étaient minces. Nancy dépendait de Jacques financièrement et il ne voudrait sûrement pas payer un voyage à sa frauduleuse belle-fille. Il fallait qu'elle se trouve un nouvel emploi au plus tôt, mais où? Peut-être dans un magasin de vêtements? Ça aurait l'avantage de lui donner des rabais sur ses achats. En plus, elle avait vraiment bon goût! C'était un pensez-y bien. Cependant, son emploi à la clinique lui manquerait. Elle entendit sa mère arriver et discuter avec Jacques. Alizée se demanda si ce dernier allait respecter sa parole et laisser Nancy en dehors de leur histoire. Tout semblait bien aller en haut – ce qui était bon signe –, mais la jeune fille n'avait pas envie de monter. Il lui restait deux bonnes heures à patienter avant de se rendre au *party* chez Jasmine. Elle n'avait plus vraiment envie d'y aller, mais c'était sûrement mieux que de rester enfermée dans le sous-sol. Vers dix-neuf heures, Alizée monta discrètement et tomba nez à nez avec sa mère.

— Alizée? Mais qu'est-ce que tu fais là? lui demanda Nancy, surprise de la voir là.

— J'habite ici.

Sa mère soupira. Parfois, le comportement de son adolescente l'exaspérait.

— Ce que je voulais dire c'est que tu es restée cachée tout ce temps dans le sous-sol? Tu aurais pu souper avec nous. Est-ce que Jacques savait que tu étais là?

— Oui, mais je lui ai dit que je ne voulais pas être dérangée. Je me suis reposée, je m'en vais dans… euh, chez Charlotte.

— Nancy! J'ai besoin d'aide pour le bain de Laurier, cria Jacques.

— J'arrive! Bon, alors amuse-toi bien chez Charlotte, ma grande. Ne rentre pas trop tard. Maximum vingt-trois heures.

— OK.

Alizée ne prit même pas la peine de négocier son couvre-feu, sachant que sa mère et Jacques dormiraient à poings fermés dès vingt et une heures. Elle était contente que Nancy ait gobé son mensonge. Si elle lui avait dit qu'elle allait à un *party*, elle lui aurait posé plein de questions auxquelles elle n'avait pas envie de répondre.

Jasmine habitait à environ quinze minutes de chez elle. Alizée marcha rapidement, car elle n'était pas habillée assez chaudement. Il neigerait sûrement bientôt, décembre était déjà entamé. Si elle n'avait pas su où se trouvait la maison de la jeune fille, elle n'aurait eu aucun problème à l'identifier : toutes les lumières étaient allumées et un paquet de jeunes fumaient autour. C'était typique d'un *party* sans parents. Sans tenir compte des gens autour, Alizée entra pour se réchauffer. Il était à peine vingt heures trente et la plupart des ados avaient déjà l'air soûls. La jeune fille fit le tour de la maison afin de trouver quelqu'un de sa connaissance. Elle dénicha finalement Sarah et Charlotte dans la cuisine. Cette dernière avait un air victorieux sur le visage et racontait une histoire à un petit public. Si Alizée se fiait à la quantité de bouteilles à ses côtés, elle était probablement en train d'expliquer comment elle avait réussi à acheter de l'alcool à l'aide de sa fausse carte.

— Alizée ! s'exclama Charlotte en la voyant. Ç'a marché ! cria-t-elle en lui tendant une bouteille de bière à la pomme.

Elle la prit sans un mot et l'ouvrit. Elle but une petite gorgée en silence. Contrairement à la bière habituelle, celle-ci avait bon goût. Pendant ce temps, Charlotte, qui semblait déjà pompette, continuait son petit spectacle et expliquait avec moult détails comment elle s'y était prise pour frauder le système. En voilà une qui obtenait au moins des résultats satisfaisants…

— Alizée et moi, on forme une super équipe ! Moi, je peux sortir de l'alcool et elle, elle peut nous obtenir de faux billets de médecin. À nous deux, on va pouvoir aider tout le monde.

Plusieurs regards convergèrent vers Alizée, qui se crispa.

— C'est vrai, Alizée ? Hein ? Tu pourrais me faire un billet pour pas que je fasse mon examen de maths ? demanda quelqu'un. Je pourrais te payer.

— Non, désolée, dit-elle d'un ton furieux. Comme tu peux voir, Charlotte a un peu bu et dit n'importe quoi.

La principale intéressée était déjà un peu chancelante. Alizée l'agrippa par le bras et la tira dans une autre pièce. Sarah les suivit.

— T'es folle, ou quoi ? lui dit Alizée. Je ne vais pas me mettre à imprimer des faux billets pour toute la ville.

— Ben là. Tu capotes pour rien.

— Alizée a raison, Charlotte, la raisonna Sarah. Elle t'a rendu service, mais ce n'est pas une raison pour le crier sur tous les toits.

— Bon, bon. Vous exagérez encore !

Alizée et Sarah échangèrent un regard. C'était la première fois qu'elles voyaient Charlotte soûle et ce n'était pas joli.

— En tout cas, vous êtes plates, les filles. Moi, je m'en vais profiter de ma soirée !

Elle s'éloigna à grands pas et fut acclamée par les jeunes qui étaient tous contents qu'elle ait apporté de l'alcool en grande quantité.

— Qu'est-ce qu'on fait ? demanda Sarah.

— Laisse-la faire. On la ramassera plus tard. La connaissant, dans moins d'une heure elle sera écrasée sur un sofa. On n'aura qu'à la mettre dans un taxi jusque chez elle. Il faut au moins s'assurer qu'elle retourne saine et sauve à la maison.

Sarah acquiesça. Elle détestait ce genre de situation. Au même moment, plusieurs filles de l'équipe de *cheers* entrèrent dans la pièce. Jasmine était parmi elles.

— Aille, Alizée. On a vu ton chum dans le salon, dit-elle d'un ton sarcastique.

— Yannick ? Ce n'est pas mon chum…

— Ah non ? Pourquoi t'es toujours avec lui, alors ?

— C'est le petit cousin de Charlotte, expliqua Sarah en venant à sa défense. C'est pour ça qu'Alizée le connaît bien.

Alizée lui jeta un regard de remerciement.

— En tout cas, continua Jasmine, si c'est ton chum, il n'est pas très fidèle. Il est avec une autre fille, en ce moment. Et je trouve qu'ils ont l'air pas mal proches…

Alizée se retint de jeter un œil dans la pièce où se trouvait Yannick. Même si elle laissait paraître l'inverse, cette réplique la blessa. Ainsi, son partenaire de physique avait vraiment une blonde...

— C'est poche comme *party*, dit-elle d'une voix forte. En plus, il n'y a personne d'intéressant. Je m'en vais. Viens-tu, Sarah ?

Jasmine tourna les talons, ce qui fit qu'Alizée ne put voir son air vexé. L'adolescente commençait à trouver que l'équipe de *cheers*, c'était n'importe quoi. Les filles ne faisaient que narguer les autres adolescents et elle trouvait ça un peu bébé.

— Tu pars vraiment ? demanda Sarah en la suivant en dehors de la pièce. Il est encore tôt.

— Oui. Je file pas trop. En plus, on dirait que j'étouffe, ici.

En effet, elle venait d'apercevoir Yannick et, comme le lui avait indiqué Jasmine, il était avec une fille qu'elle ne connaissait pas. Peut-être fréquentait-elle une autre école ?

— C'est comme tu veux, lui dit Sarah. Je vais rester pour surveiller Charlotte.

— OK. Bonne chance !

Alizée sortit seule de la maison. Un petit groupe de jeunes fumaient du *pot* à l'extérieur. Une voiture se stationna près d'eux et la fenêtre du conducteur se baissa. L'un des jeunes se tourna et dit à ses amis, d'une voix très audible : «*Oh my God!* Chuis tellement gelé que je pense que je vois Mme Villeneuve dans la voiture…»

Il n'était pas si gelé que ça, car c'était effectivement son enseignante qui était dans le véhicule. Elle venait sans doute chercher sa fille. Alizée l'avait aperçue dans la cuisine.

— Alizée! Viens ici, s'il te plaît, l'interpella la femme dans la voiture.

Une chance qu'elle était sobre. Elle n'aurait pas aimé faire un face à face avec elle, soûle.

— Bonsoir, madame Villeneuve.

«Ayoye! C'est vraiment la prof, entendit-elle. Vite, on va se cacher!»

— Peux-tu aller chercher Andrée-Anne dans la maison pour moi? demanda l'enseignante, sans tenir compte des jeunes qui s'étaient mis à courir comme des fous. Je lui avais dit que je venais la chercher, mais elle a dû oublier l'heure…

La jeune fille jeta un œil au domicile tout illuminé. Elle n'avait pas envie de retourner à l'intérieur et de revoir tout le monde. Mme Villeneuve sentit sa réticence.

— Est-ce que tout va bien ? demanda-t-elle.

— Oui, oui. C'est juste que si je retourne à l'intérieur, je vais être en retard à la maison et ma mère ne sera pas contente.

— Oh ! Je comprends. Très bien, je vais laisser cinq minutes à ma fille et si elle n'arrive pas, j'irai la chercher moi-même.

Alizée imagina avec plaisir le visage des gens quand Mme Villeneuve entrerait. Ça vaudrait vraiment le détour. Elle espéra qu'Andrée-Anne avait réellement oublié l'heure. Elle salua son enseignante et retourna tranquillement chez elle, l'âme en peine et les pieds gelés. Ce n'était pas une bonne journée…

6
La préparation au bal

Alizée dormit mal cette nuit-là. Elle ne l'aurait avoué à personne (elle avait même de la difficulté à se l'avouer à elle-même), mais elle était vraiment triste de voir Yannick avec une fille. En premier, elle tenta de se convaincre qu'il ne s'intéressait pas vraiment à l'autre fille. Il faisait semblant, soit parce qu'il pensait qu'il n'avait aucune chance avec Alizée, soit parce qu'il voulait la tester. Il se disait sûrement qu'en agissant ainsi, il attirerait son attention et qu'elle s'intéresserait à lui. Ce n'était pas fou ! Toutefois, Yannick était un garçon assez honnête et peu manipulateur. Il n'était pas du genre à cacher ses pensées. Et si cette fille l'attirait pour de vrai ? Après plusieurs heures à tourner dans son lit, Alizée se leva et prit son cellulaire. Elle décida d'y dresser une liste des raisons pour lesquelles elle ne sortirait jamais avec Yannick.

3 décembre   2 : 45

Raisons pour lesquelles je ne sors pas avec Yannick :

1. Il est trop petit. Si je porte des talons, je vais le dépasser. C'est pas pratique.

145

2. Il n'est pas populaire. Les filles de *cheers* vont rire de moi.

3. Il est trop sérieux dans ses études. Des fois, c'est *too much*.

4. Sa maison est laide.

5. Il n'est pas si beau que ça.

6. Le fait que je sois populaire ne l'impressionne pas.

Satisfaite de sa liste, elle éteignit sa lumière et son téléphone et tenta de s'endormir. Si le cœur lui en disait, elle y rajouterait d'autres éléments plus tard.

Le lendemain, son petit frère la réveilla un peu trop tôt à son goût. Elle essaya de se rendormir, mais on aurait dit que sa mère avait tout mis en œuvre pour la sortir du lit. Elle passait l'aspirateur – sachant très bien que l'aspirateur central se trouvait à côté de la chambre d'Alizée –, elle faisait du lavage – la sécheuse était aussi à côté de sa chambre –, et elle mettait la musique au maximum pendant qu'elle faisait le ménage. Franchement, sa mère avait toute la semaine pour faire ses tâches ménagères et elle faisait exprès de choisir le seul matin où la jeune fille avait vraiment envie de dormir.

— Alizée! Réveille-toi! On part dans une heure, cria Nancy dans les escaliers.

Comment ça, on part dans une heure? Il lui semblait bien qu'elle n'avait aucun plan à l'horizon. Elle se leva et se traîna jusqu'au rez-de-chaussée. Bébé Laurier était installé sur son aire de jeux dans le salon et faisait des gazouillis en regardant un hippopotame vert. Les jouets d'enfants étaient vraiment bizarres: les animaux n'étaient jamais de la bonne couleur…

— Qu'est-ce qu'y a? Pourquoi tu cries comme ça? demanda-t-elle en entrant dans la cuisine.

— C'est aujourd'hui qu'on va prendre nos photos de famille pour Noël. Tu t'en souviens, j'espère.

— Ahhhh! Non. Pas question.

— Oh que oui! Tu avais promis que tu viendrais sans chialer.

— Ben là, ça me tente pas. Vas-y avec Jacques et Laurier. C'est eux, ta famille, maintenant.

Sa mère lui fit de gros yeux et tapa sur le comptoir du plat de la main, signe qu'elle était

147

très fâchée. Alizée repensa au voyage à New York – qu'elle ne pourrait faire sans l'aide et la permission de Nancy – et leva les mains dans les airs en guise de drapeau blanc.

— Excuse-moi, dit-elle avant que cette dernière n'ait eu le temps de laisser éclater sa colère. Tu as raison. Chose promise, chose due ! Je vais m'habiller immédiatement.

Sa mère, qui s'apprêtait à parler, fut très surprise par ce revirement de situation.

— Y a-t-il un thème en particulier ou je m'habille comme je veux ? demanda Alizée, en espérant que sa mère ne l'obligerait pas à revêtir un chandail tricoté à l'effigie de Noël.

— Comme tu veux. Je ne suis pas devenue quétaine au point de faire une photo de père Noël, quand même.

Alizée sourit à sa mère et son sourire s'agrandit davantage lorsque Jacques entra dans la cuisine, vêtu d'une cravate aux motifs de lutins. Elle regarda Nancy qui secouait la tête devant la laideur de l'objet. Jacques, lui, ne semblait pas embarrassé par le thème qu'il affichait. Il avait même dans ses mains un adorable pyjama de Noël pour Laurier. La séance photo promettait d'être mémorable.

Une heure plus tard, la petite famille embarqua dans le gros VUS de Jacques. Alizée et lui s'étaient à peine parlé depuis que la jeune fille était réveillée, mais Nancy n'avait rien remarqué, trop occupée à gérer le matériel à apporter pour cette sortie. Déplacer un enfant semblait être très périlleux. C'est du moins ce qu'Alizée supposa en voyant les sacs qui s'amoncelaient dans le coffre. À croire qu'ils partaient pour une semaine et non pour une heure. En attendant que tout soit bien paqueté, elle s'installa sur la banquette arrière avec Laurier – qui dormait – et regarda son cellulaire. Sarah venait de lui envoyer un texto.

Mme Villeneuve a vidé la place après ton départ…

Oups. Peut-être qu'elle aurait dû avertir Sarah qu'elle avait vu son enseignante sur le bord de la route ?

Ah ouin. Bizarre… Ça dû être ☹

Charlotte vomissait dans les toilettes. Elle nous a pas vues.

Pauvre Charlotte… Elle est OK ?

Elle a dit qu'elle ne boirait plus jamais…

LOL… menteuse !

Mme Villeneuve a dit à plein de monde qu'elle allait leur enlever leur bal.

HEIN ! Pkoi ?

Était pas contente de les voir de même…

Weird… en t-k, si Jasmine est pas là, je serai pas malheureuse. ☺ Je te laisse. Je vais prendre des photos de Noël. ☆

K. À + ☺

— Tu lâches ton téléphone, Alizée. On est arrivés.

Même si elle avait envie de bougonner, la jeune fille obéit et glissa son cellulaire dans sa sacoche. Au moins, le studio de photographie que sa mère avait choisi avait de la classe. Pendant l'heure qui suivit, ils prirent au moins une centaine de poses avant que Nancy n'en trouve une qui convenait à leur fameuse carte de Noël. Alizée se demandait à quel moment sa mère était devenue du type «carte du temps des Fêtes» quand Jacques interrompit ses pensées.

— Merci de te prêter au jeu, dit-il tout bas. Ça fait plaisir à Nancy.

Alizée haussa les épaules. Elle n'avait rien de mieux à faire de toute façon et elle espérait qu'en participant à la vie familiale, ses futures demandes passeraient mieux. Leur conversation s'arrêta là. Il ne lui reparla pas de leur chicane de la veille. Après la séance photo, ils allèrent dîner au restaurant comme une gentille petite famille, puis le reste de l'après-midi passa lentement. La jeune fille se terra dans son sous-sol et fureta sur Facebook. Il était beaucoup question du *party* de la veille. Plusieurs personnes se demandaient si Mme Villeneuve mettrait sa menace à exécution. Alizée était contente d'avoir quitté la fête plus tôt. Son enseignante avait bien vu qu'elle était sobre. Pour rien au monde elle ne voudrait rater son bal, même si elle se préparait à y aller toute seule.

Le lundi, les rumeurs concernant le fameux *party* allaient bon train à l'école. Un peu avant le dîner, tous les élèves de cinquième secondaire furent invités à l'agora où on leur parla de New York. Mme Villeneuve, la responsable du voyage, leur décrit en détail le fonctionnement et leur donna le montant total du séjour. Pendant son discours, plusieurs jeunes se demandèrent si elle allait parler du *party*, mais elle n'en fit rien. Elle se concentra uniquement sur le voyage. Quand elle leur donna les dates, Selena regarda les filles de *cheers* et leur fit signe de s'approcher. Toutes les têtes se penchèrent vers elle.

— On ne pourra pas y aller, les filles. On a une méga compétition pendant la relâche.

Merde! se dit Alizée. Elle avait oublié cette compétition. Pourtant, à titre de capitaine, elle aurait dû s'en souvenir. Elle avait vraiment envie d'aller à New York acheter sa robe… Elle trouverait un moyen de s'en sortir. Pour le moment, il fallait qu'elle convainque sa mère de financer son voyage, car elle n'avait pas le montant nécessaire en poche, sans compter qu'il fallait bien qu'elle paie aussi la robe.

— Les inscriptions auront lieu la semaine prochaine, annonça Mme Villeneuve. Nous ferons une réunion en soirée. Si vous êtes intéressés à participer, vous devez venir avec vos parents, car ils doivent signer un formulaire de consentement vu que personne n'est âgé de dix-huit ans. Dites-leur d'apporter des chèques pour payer un dépôt qui est non remboursable. Premier arrivé, premier servi!

L'enseignante quitta l'estrade et il y eut un grand soupir de soulagement dans la salle. Les jeunes avaient vraiment eu peur qu'elle mette sa menace à exécution concernant le bal. Ils étaient maintenant un peu plus rassurés sur leur sort. Comme il ne restait que quelques minutes avant que la cloche sonne, les élèves restèrent à l'agora pour jaser un peu. Alizée rejoignit Sarah et Charlotte qui parlaient du voyage.

— J'ai déjà demandé à ma mère si je pouvais y aller et elle a dit oui, annonça Charlotte tout excitée.

— Si elle t'avait vue arriver soûle l'autre soir, penses-tu qu'elle aurait changé d'idée? blagua Alizée.

Charlotte roula des yeux.

— M'en parle pas! J'ai passé la journée couchée à avoir mal au cœur. Je boirai plus jamais…

Sarah et Alizée échangèrent un regard complice.

— Mais pourtant, avec ta fausse carte, toutes les portes te sont ouvertes, ajouta Sarah un peu sarcastiquement.

Charlotte roula des yeux et les filles rigolèrent un peu.

— En passant, je voulais m'excuser d'avoir dit à tout le monde que tu donnais des billets de médecin. J'espère que je t'ai pas mis dans la marde…, ajouta Charlotte.

Alizée haussa les épaules.

— T'inquiète pas, le mal était déjà fait. Jacques est au courant.

— Hein! comment ça? demanda Sarah.

— Longue histoire. Mais bon. Ce n'est pas votre faute. On va passer à autre chose, OK?

— Veux-tu que j'appelle Jacques pour lui dire que je suis responsable? proposa Charlotte. Ça me dérange pas.

— Non, c'est correct. C'est moi la fautive, pas toi. On va dire qu'on est quittes. Tu as doublé ton français à cause de moi et j'ai perdu mon emploi à cause de toi.

Charlotte lui fit un sourire triste et Sarah resta silencieuse.

— C'est pour ça que je suis partie du *party*, vendredi, expliqua Alizée. Je venais de me chicaner avec Jacques.

— Oh! je vois, répondit Sarah. Dire qu'on pensait que c'était à cause de Yannick.

— Yannick? Pourquoi?

Charlotte et Sarah échangèrent un drôle de regard.

— Ben, j'étais certaine que ça te dérangeait de l'avoir vu avec l'autre fille, expliqua Sarah.

— Je ne vois pas pourquoi ça me dérangerait, répliqua Alizée d'un ton qu'elle voulait détaché.

Autre regard de Charlotte et Sarah.

— Tsé, Alizée, tu as le droit de le trouver de ton goût, lui dit Charlotte. On ne va pas te juger pour ça. Je le connais, moi, Yannick et il a plein de qualités.

Elle en énuméra quelques-unes, mais Alizée n'écoutait pas. Elle regardait le jeune homme qui, justement, était à l'autre bout de l'agora. Il l'aperçut et lui fit un bref signe de la main. Elle sentit de petits papillons s'agiter dans son ventre, mais ils disparurent aussitôt qu'elle se rappela qu'il était avec une autre fille au *party*.

— Ce n'est pas un gars pour moi, conclut-elle en se tournant vers ses deux amies.

— Si tu le dis, répondit Sarah.

Elle connaissait assez bien Alizée pour savoir qu'il ne servait à rien de la brusquer. Si elle avait

155

des sentiments pour Yannick, il lui faudrait un bon moment pour se l'avouer. Cela viendrait en temps et lieu.

— Bon, on va dîner ! suggéra Sarah.

— Bonne idée, acquiesça Charlotte. Je meurs de faim !

Après un dernier regard vers Yannick, Alizée suivit ses amies à la cafétéria où elles passèrent la demi-heure suivante à parler de robes de bal.

Tout était calme lorsque Alizée arriva chez elle après l'école. Laurier dormait et sa mère dégustait un verre de vin tranquillement dans la cuisine. Depuis que Nancy avait arrêté d'allaiter, elle semblait revivre. Peut-être que l'alcool y était pour quelque chose ? Elle avait l'air de bonne humeur : c'était le moment idéal pour lui parler du voyage à New York.

— Maman ?

— Oui, chérie ?

— Tu te souviens, il y a deux ans, tu m'avais promis que tu m'emmènerais à New York pour acheter ma robe de bal.

— Hum! Oui, je m'en souviens, répondit-elle en prenant une gorgée de vin. Mais tu sais, notre situation a changé depuis ce temps-là…

— Oh oui! J'en suis bien consciente. D'ailleurs, ce que j'ai à te dire va sûrement te faire plaisir.

— Vas-y, je suis intriguée!

— Eh bien, j'ai trouvé une solution pour aller acheter ma robe à New York, comme tu me l'as promis – elle insista sur le mot «promis» –, à peu de frais, en plus.

Nancy haussa un sourcil en signe d'intérêt.

— L'école organise un voyage juste pour ça. Les filles vont aller magasiner pour leur robe. Et on va visiter quelques trucs aussi. Comme je suis membre du comité du bal, je n'ai pratiquement pas le choix d'y aller…

Mine de rien, elle trouvait ses arguments vraiment bons. Toutefois, Nancy n'avait pas l'air aussi convaincue qu'elle.

— C'est vrai que c'est l'endroit idéal pour faire tes achats. Combien ça coûte?

— Quatre cents dollars.

— Hum. C'est assez cher. Je vais devoir en parler à Jacques. Mais maintenant que tu travailles, tu pourrais en financer une partie.

— Eh bien justement, je ne travaille plus.

— Ah! Depuis quand?

— C'est récent. Tu sais, si je veux être acceptée en médecine, je dois vraiment me concentrer sur mes études et mon travail prenait trop de temps. J'ai décidé de lâcher. Jacques était d'accord.

Alizée espéra que sa mère ne questionnerait pas trop son mari. Si elle apprenait qu'elle avait falsifié un billet de médecin, elle lui refuserait le voyage, et probablement toutes ses autres demandes pour les dix prochaines années…

— Ça pourrait être mon cadeau de fête et de Noël, dit-elle dans une dernière tentative pour la convaincre.

— Je vais y penser, promis.

— Merci. Mais tu vas devoir penser vite parce qu'il faut réserver la semaine prochaine. C'est la rencontre d'information.

— Déjà? C'est assez rapide.

— Si tu y vas, il ne faut pas que tu oublies d'apporter un chèque pour payer ma place.

— Bon. Je trouve que ça va un peu vite, ton histoire. Je vais commencer par en parler à Jacques, ce soir, quand il va revenir du travail. Quand on aura pris une décision, je te mettrai au courant.

— OK. J'attends de tes nouvelles. En attendant, je vais aller faire mes devoirs. Comme je t'ai dit, mes études sont ma priorité! Appelle-moi si tu veux que je t'aide à faire le souper, ça va me faire plaisir!

Là, elle poussait un peu et sa mère n'était pas dupe. Mais elle voulait mettre toutes les chances de son côté. Une heure plus tard, elle entendit Jacques rentrer. Elle avait déjà mis la table et coupé les légumes. Elle s'éclipsa un moment, voulant laisser sa mère en tête-à-tête avec son mari. De sa chambre, elle tendit l'oreille pour savoir si Nancy parlait du voyage à New York, mais elle n'arrivait qu'à saisir des bribes de conversation et elles concernaient des patients de l'hôpital. Rien d'intéressant. Elle aurait aimé pouvoir écrire à ses amies pour leur dire qu'elle serait de la partie elle aussi.

— Alizée, viens souper! cria Nancy.

La jeune fille se lança carrément dans les escaliers et sa mère lui jeta un drôle de regard quand elle entra en trombe dans la cuisine. Tout au long du repas, elle se montra serviable, se levant pour resservir les gens ou pour aller chercher ce qui manquait. Quand tout le monde eut terminé, elle se proposa pour faire la vaisselle, ce qui ne manqua pas d'alerter Jacques, qui leva un sourcil interrogateur.

— Qu'est-ce qui se passe, exactement? demanda-t-il.

Nancy, qui avait saisi le petit jeu de sa fille, lui expliqua la raison du dévouement soudain d'Alizée.

— Ma fille veut aller à New York pour acheter sa robe de bal, annonça-t-elle. Il y a un voyage qui s'organise à l'école…

— New York? Ce n'est pas un peu excessif? Je pourrais comprendre pour une robe de mariée, mais une robe de bal…

— Oh non! Ce n'est pas exagéré, se défendit Alizée. Toutes les filles de l'école y vont. C'est un voyage organisé. Il y a un côté culturel à la chose.

— Vous n'êtes pas allées là-bas ta mère et toi il y a peu de temps?

— Oui, répondit Nancy. Pour son quinzième anniversaire. On s'est amusées comme deux vraies petites folles. N'est-ce pas, ma grande?

— Tu as raison, mais je n'étais pas avec mes amies, continua Alizée. Ce n'est pas pareil. En plus, comme j'expliquais à maman tantôt, je suis membre du comité du bal. Je dois absolument y aller. Ça aurait l'air bizarre que la personne qui planifie l'événement ne soit pas là, non?

Sa mère et Jacques échangèrent un sourire qui ne plut pas à Alizée.

— Heille! Je vois votre petit jeu, là. Ça veut dire quoi, ce sourire-là?

— Rien, ne le prends pas personnel, lui dit sa mère. C'est juste que quand tu as une idée en tête, tu trouves toutes sortes d'arguments pour essayer de nous convaincre.

— C'est une qualité, je trouve.

— Je n'ai jamais dit le contraire. Bon, c'est correct, tu peux t'inscrire au voyage, annonça Nancy. On va payer les frais, mais tu t'organises pour payer ta robe et tes accessoires. Ça te va?

Alizée se fit la remarque que si elle avait fait une demande semblable à sa mère deux ans plus tôt, celle-ci aurait tout payé et lui aurait même remis une somme astronomique en argent de poche. Leur réalité avait vraiment changé. Maintenant, Nancy dépendait de Jacques. Ce dernier était généreux et elles ne manquaient de rien, mais le temps où sa mère lui achetait tout ce qu'elle voulait lui manquait.

— Et comme tu l'as suggéré, ce sera ton cadeau de Noël et ton cadeau de fête, termina Nancy.

Alizée fit une petite baboune, mais accepta la proposition. Elle n'aurait pas dû suggérer l'idée des cadeaux, mais il était trop tard pour reculer. D'ici son anniversaire, peut-être que sa mère aurait oublié leur arrangement et qu'elle lui donnerait de l'argent de poche ? Ou peut-être que Charles accepterait de participer aux dépenses ? Elle lui écrirait pour lui dire qu'elle avait parlé à Jacques. Ainsi, elle retomberait dans ses bonnes grâces.

— C'est parfait ! dit-elle. Merci !

Elle prit le chemin du sous-sol, mais sa mère l'arrêta.

— Et la vaisselle ?

Zut ! Sur ce coup-là, elle s'était vraiment montrée mauvaise négociatrice…

Le lendemain, Alizée revit Yannick dans son cours de physique. Elle ne lui parla pas de la fille du *party* et lui non plus. Ils firent comme d'habitude, c'est-à-dire qu'ils travaillèrent fort et eurent le meilleur résultat de la classe. La jeune fille lui annonça que sa mère avait accepté qu'elle aille à New York. Elle espérait, en lui parlant de robe, qu'il lui en dirait un peu plus sur ses plans pour le bal, mais il ne semblait pas du tout rendu là. Comme pour la plupart des gars, le bal était le moindre de ses soucis pour l'instant. Il restait encore plusieurs mois avant l'événement. Pourquoi se presser?

Le jour de la rencontre pour le voyage, il neigeait à gros flocons lorsque Alizée quitta l'école. Elle ne s'était pas présentée à sa pratique de *cheers* parce qu'elle voulait être certaine que sa mère n'avait pas oublié qu'elle devait aller faire le dépôt et assister à la rencontre informative. La tempête s'était vraiment intensifiée lorsqu'elle arriva chez elle en même temps que sa mère qui pestait contre la température. Le petit Laurier, dans son banc de bébé, était en larmes. Il détestait être dans son habit de neige. Alizée le déshabilla et le berça un peu, mais il n'arrêtait pas de chigner. En lui essuyant ses larmes, elle remarqua qu'il était plus chaud que d'habitude.

— Maman ? Je pense que Laurier fait de la fièvre.

— Oh non ! J'espérais que ça n'arriverait pas. Il a eu ses vaccins, aujourd'hui. L'infirmière m'a avertie qu'il serait peut-être grognon ou même qu'il pourrait être fiévreux. Et moi qui n'ai pas acheté de Tylenol. Je ne sais pas si Jacques aurait le temps de passer à la pharmacie avant de revenir…

— Veux-tu que j'aille le coucher ? proposa Alizée en interrompant le fil de ses pensées.

— Tu peux essayer, mais je ne pense pas qu'il va dormir. Il s'est endormi dans la voiture tantôt. Dès qu'il dort cinq minutes, il refuse de faire sa sieste habituelle.

Alizée tenta de déposer son petit frère, mais il n'y avait rien à faire. Il voulait rester dans des bras, de préférence ceux de sa mère. Alizée aida Nancy à faire le souper, se demandant où pouvait bien être passé Jacques. Peut-être était-il ralenti par la tempête ? Vers dix-huit heures, elle rappela à sa mère qu'il était temps pour elle de se rendre à la réunion. Nancy regarda par la fenêtre. Près de dix centimètres s'étaient déjà accumulés sur sa voiture. En plus, Laurier pleurnichait dans ses bras et Jacques ne s'était toujours pas montré le bout du nez.

— Je ne pense pas que je vais pouvoir y aller ce soir, Alizée.

— Quoi? Ben voyons. Il faut que tu y ailles. Je veux aller à New York.

— Sois raisonnable. Il y a une grosse tempête dehors, Jacques n'est pas là et ton frère n'arrête pas de pleurer. Tu veux que je laisse tout en plan pour aller porter un chèque?

— Je peux garder Laurier, dit Alizée d'un ton peu convaincu.

— Ne t'inquiète pas, tu vas y aller à ton voyage. Demain matin, à la première heure, je vais appeler l'organisatrice et j'irai lui porter le chèque. Ce soir ou demain, qu'est-ce que ça change? Dis à tes amies de te garder une place, c'est tout.

Alizée songea à prendre le chèque et à aller le porter elle-même, mais la perspective de sortir dans cette grosse tempête ne l'enchantait pas plus que Nancy. Si elle n'avait pas fait de folie l'année précédente, elle aurait son permis de conduire et elle aurait pu emprunter la voiture de sa mère, mais non. Son permis était suspendu pour plusieurs semaines encore. Elle décida donc de faire confiance à Nancy et, après avoir tourné en rond un bon moment, elle s'installa finalement pour faire ses devoirs. La neige continuait de tomber et toujours aucune trace de Jacques à l'horizon. Vers vingt heures, son cellulaire sonna. C'était Charlotte qui était probablement à la rencontre avec ses parents.

— Alizée? Où es-tu? demanda-t-elle.

— À la maison. Ma mère ne voulait pas sortir à cause de la tempête et de Laurier, qui est malade.

— Tu ne viens pas au voyage, alors?

— Oui oui! Elle va appeler la responsable, demain, pour lui remettre le chèque.

— OK. Tu es sûre que ça va marcher? Il y a beaucoup de monde, ici.

Alizée entendait effectivement le murmure de la foule derrière son amie. Elle n'était plus aussi sûre d'elle, maintenant, mais même si elle avait voulu convaincre sa mère de partir, il était trop tard, la réunion serait terminée lorsqu'elles arriveraient.

— Ne t'inquiète pas. Tu connais ma mère, elle va m'arranger ça.

— Si tu le dis. En tout cas, on te garde une place avec nous dans la chambre. On va trouver une quatrième personne vu qu'on doit être quatre.

— Essaie de prendre une fille du *cheers*. Mais pas Jasmine. Je suis pas capable de la sentir.

— Inquiète-toi pas, ça sera pas Jasmine. Il n'y a aucune fille du *cheers* ici ce soir. Je pense qu'il y a une grosse compétition cette semaine-là qui fait qu'elles ont toutes décidé de ne pas venir. Tu ne serais pas censée y aller, toi aussi, d'ailleurs?

C'est vrai. Elle avait oublié le commentaire de Selena. Mais elle connaissait ce genre d'événement. Toutes les équipes remportaient un prix et cela n'avait pas vraiment d'impact sur les compétitions de fin d'année. Sa présence ne changerait rien.

— Bof, il faudrait bien que j'y aille moi aussi, mais j'aime bien mieux aller en voyage. Je sais que la *coach* acceptera que je m'absente. Elle m'aime bien et elle comprendra à quel point New York est important pour moi. Gardez-moi une place, OK?

— Promis. À demain!

— Bye!

Le lendemain, la tempête s'était arrêtée. Le temps des Fêtes arrivait à grands pas et l'approche du congé se faisait sentir. Avant qu'elle parte pour l'école, Alizée fit promettre à Nancy qu'elle appellerait la responsable du voyage pour lui réserver une place. Cette dernière lui assura que ce serait fait. Arrivée à l'école, la jeune fille rejoignit rapidement ses amies afin qu'elles lui fassent un résumé de la réunion de la veille. Les trois étaient vraiment excitées à la perspective d'aller dans la Grosse Pomme. Alizée avait hâte que sa mère lui confirme qu'elle avait bien une place dans le groupe. À son retour, ce soir-là, ce fut sa première question.

— As-tu parlé à la femme qui s'occupe du voyage? demanda-t-elle en déposant son sac d'école.

— Bonjour à toi aussi! répondit Nancy. Tu pourrais aussi saluer ton frère.

Ce dernier lui fit un grand sourire. La jeune fille trouvait toujours ça drôle de voir qu'il n'avait pas de dents. Au moins, il semblait en meilleure forme que la veille.

— Et oui, je lui ai parlé. Tout est réglé! Je suis même allée lui porter le chèque avec Laurier.

— Génial. Merci, maman! J'ai vraiment hâte d'aller à New York.

— Tant que ça? Pourtant, tu y es allée il y a peu de temps et, ce n'est pas que je veuille me vanter, mais le voyage que tu t'apprêtes à faire n'est aucunement comparable à celui que nous avons fait ensemble. J'ai jasé avec la responsable et vous ne couchez même pas dans un hôtel sur l'île. Vous dormez dans le New Jersey…

— Je sais, mais c'est pas grave. L'important, c'est que je vais être avec mes amies. Ça va être différent.

— Très bien. Je suis contente que tu revoies Sarah et Charlotte. Elles sont bien mieux que cette petite peste que tu voyais l'année passée.

— Lou ?

— C'est ça. Une vraie emmerdeuse, cette fille-là. Elle ne t'a attiré que des ennuis.

— Elle n'était pas si pire que ça…

Alizée ne voulait pas donner totalement raison à sa mère, même si ce qu'elle disait à propos de Lou était vrai. Son ancienne amie était une vraie rebelle dans son genre : pas du tout le type d'Alizée. Heureuse que sa mère ait tout réglé, comme elle l'avait promis, elle embrassa Nancy sur la joue et la remercia une dernière fois. Tout allait comme sur des roulettes !

La dernière journée d'école avant le congé de Noël, les filles prirent leur déjeuner traditionnel à la cafétéria en discutant de leurs plans respectifs pour le temps des Fêtes. Alizée pouvait pratiquement affirmer que tout était revenu à la normale avec ses amies et cela lui faisait vraiment plaisir. Quelques enseignants déjeunaient avec les élèves, dont Mme Villeneuve qui, bien qu'elle ait menacé des jeunes lors du *party* chez Jasmine, était aimée de tous grâce à son grand sens de l'humour et à son dévouement. Avant de se diriger vers l'une de ses surveillances de la journée, elle s'arrêta à la table des filles, souhaitant leur parler un peu du bal.

— Les filles, il va falloir se rencontrer bientôt pour continuer nos préparatifs.

— C'est sûr, mais pour l'instant, tout le monde ne parle que de New York, répondit Alizée.

— C'est vrai. Êtes-vous inscrites, vous aussi ?

— C'est sûr, hein les filles ! On ne va manquer ça pour rien au monde !

Charlotte et Sarah approuvèrent d'un hochement de tête.

— Justement, je vais aller voir la liste des élèves qui participent. La directrice vient de l'afficher à côté du gymnase, annonça Mme Villeneuve.

Aussitôt, les trois amies repoussèrent leur assiette et suivirent l'enseignante qui avertissait les finissants au fur et à mesure qu'elle les croisait. Un petit groupe d'élèves excités se dirigea donc vers le gymnase, juste pour valider que leur nom se trouvait bien sur la liste. Alizée fut la première à arriver devant la feuille et elle tenta d'y repérer son nom. Elle regarda attentivement, mais celui-ci n'y figurait pas. Elle vit ceux de Charlotte et de Sarah, mais pas le sien. Après avoir parcouru une nouvelle fois la liste, elle se tourna vers ses amies et déclara : «Je ne comprends pas, je ne suis pas sur la liste…»

— Quoi! Voyons, as-tu regardé comme il faut? demanda Charlotte.

— Ça fait deux fois que je regarde. Je sais lire, quand même, et mon nom n'est pas là.

Alizée vit le regard triste de Mme Villeneuve, qui avait tout entendu. Elle eut un peu honte : elle venait de lui affirmer avec confiance qu'elle allait à New York et voilà que son nom n'apparaissait même pas sur la feuille. Elle avait l'air d'une belle idiote.

— C'est peut-être parce que tu n'es pas venue à la rencontre avec ta mère, suggéra Charlotte.

Une réplique cinglante lui brûla les lèvres, mais ça ne donnait rien de passer sa colère sur son amie, surtout que ça allait bien entre elles. C'était Nancy, la responsable, et elle ne perdait rien pour attendre. Alizée prit une grande inspiration et leur fit un sourire contrit.

— J'espère que vous allez bien vous amuser sans moi...

7
LE VOYAGE

Alizée arriva chez elle et claqua la porte d'entrée de toutes ses forces. Elle enleva son manteau et ses bottes et les lança dans la garde-robe, éclaboussant de neige tous les souliers qui se trouvaient au fond. Alertée par le bruit – surtout qu'elle venait d'endormir Laurier –, Nancy passa la tête par la porte de la cuisine.

— Voyons! Qu'est-ce qui se passe? demanda-t-elle tout bas.

— Qu'est-ce qui se passe? cria Alizée. Il se passe que toutes mes amies vont à New York, mais pas moi!

— Chut! Ne crie pas comme ça. Laurier dort.

Elle tendit l'oreille pour s'assurer que le bruit n'avait pas réveillé son fils, puis elle demanda plus d'explications à Alizée qui fulminait dans l'entrée.

— Comment ça, tu ne vas pas à New York?

— Parce que ma charmante maman ne s'est pas présentée le soir de la réunion.

— Reste polie, veux-tu.

— J'en reviens pas, continua Alizée toujours sur le même ton. Tout le monde va avoir une robe de New York. Je vais avoir l'air d'une vraie pauvre au bal. Si tu étais allée à la rencontre comme prévu, moi aussi j'aurais cette chance, ajouta-t-elle d'un ton colérique.

— Tu exagères, ce n'est pas comme si tu n'étais jamais allée là-bas.

Alizée ne savait pas ce qui la fâchait le plus entre le fait de ne pas aller en voyage ou la façon dont sa mère minimisait sa colère.

— Si c'est une robe dont tu as besoin, tu peux toujours porter celle que je t'ai fait faire pour mon mariage. Elle a coûté très cher et elle t'allait parfaitement, proposa Nancy.

— Coudonc! Tu ne m'écoutes jamais quand je parle, cria Alizée. Je t'ai dit que le bal, c'était noir et blanc. En plus de ne pas avoir de robe de New York, tu veux que je me pointe là avec une robe mauve? T'es folle ou quoi?

— Bon! Ça suffit. Je ne tolérerai pas que tu me parles sur ce ton. Va donc te calmer dans ta chambre.

Alizée descendit les marches et claqua la porte de sa chambre pour montrer qu'elle était encore fâchée et qu'elle n'avait pas dit son dernier mot. Elle n'en revenait pas. La journée avait bien commencé – c'était le dernier jour avant les vacances de Noël, qui promettaient d'être joyeuses – et voilà que tout était gâché à cause de ce stupide voyage. Et sa mère qui en rajoutait avec sa robe lavande. Un peu plus et elle lui proposait de porter sa robe de mariée de femme enceinte… C'était vraiment la preuve que quand elle parlait, Nancy n'entendait que «blablabla…». Elle n'en avait que pour Jacques et Laurier. Alizée se laissa tomber sur son lit, toujours en colère. Le moment le plus difficile de son avant-midi avait été de supporter les regards désolés de Charlotte et Sarah. Les deux filles auraient bien voulu discuter du voyage, mais elles se sentaient mal d'exprimer leur joie, sachant qu'Alizée était triste de ne pas être de la partie, même si elle leur disait le contraire. À cette idée, l'adolescente sentit les larmes lui monter aux yeux. Elle tenta de se consoler en pensant à tout ce qu'elle ferait avec l'argent qu'elle recevrait pour son «voyage», mais peine perdue. Aucune idée de dépense n'arrivait à la satisfaire. Elle regardait son plafond depuis une bonne demi-heure quand sa mère cogna doucement à sa porte.

— Quoi? demanda-t-elle brusquement.

— Je peux entrer?

— C'est un pays libre…

Nancy entra, mais ne répondit pas au commentaire insolent de sa fille. Elle la connaissait assez bien pour savoir que quand elle était en colère, ça ne valait pas la peine de la confronter.

— Bon, j'ai parlé à la responsable du voyage, annonça-t-elle.

Alizée s'assit droite dans son lit.

— Il y a quatre filles qui n'ont pas pu être inscrites, dont toi. Tu es sur la liste d'attente.

Alizée se laissa retomber et mit son oreiller sur sa tête.

— Les noms des participants ont été tirés au sort, puisqu'il y avait trop d'inscriptions. Ça n'a aucun lien avec le fait que je ne sois pas allée à la réunion. Quand j'ai remis mon chèque à la responsable, elle m'a dit qu'il allait rejoindre les autres.

— Ouin, j'ai de la misère à croire ça…

— Crois ce que tu veux, ma grande, mais ce n'est pas une conspiration contre toi.

Alizée bouda un moment, puis soupira. Sa mère avait raison. Elle n'y était pour rien s'il n'y avait pas assez de place pour tout le monde.

— En attendant, il reste quelques jours avant Noël. Veux-tu qu'on aille magasiner pour des cadeaux ou préfères-tu conserver l'argent pour autre chose? demanda Nancy.

Elle tentait de lui changer les idées et c'était très louable de sa part, mais Alizée n'avait pas le cœur à aller faire les boutiques.

— Je vais y penser.

— D'accord. Une chose est sûre, tu auras au moins un cadeau sous le sapin! J'ai trouvé un petit quelque chose pour toi que je n'ai pas pu m'empêcher d'acheter...

Sa mère essayait de se montrer optimiste, mais Alizée n'avait pas envie d'embarquer dans son jeu. Les vacances seraient sans doute longues et ennuyantes...

Alizée passa les deux semaines suivantes à magasiner des robes de bal en ligne, essayant de dénicher un modèle original et à bon prix. Elle ne trouva rien de beau, ce qui la convainquit encore davantage du fait que son voyage à New York aurait été essentiel. Découragée devant le peu de choix qui s'offrait à elle, elle décida de lâcher prise. Il lui restait encore plusieurs mois pour trouver la robe parfaite. Dans ses temps libres, elle texta aussi Sarah et Charlotte qui passaient toutes les deux les vacances avec leur famille. Ses amies avaient l'air de s'amuser énormément comparativement à elle. Son plus gros divertissement constituait à faire des «guilis-guilis» à Laurier, mais elle s'en fatigua rapidement. À un certain moment, elle eut même envie d'appeler Yannick pour l'inviter à faire une activité tellement elle s'ennuyait, mais elle changea d'idée. Premièrement, elle était trop gênée et, deuxièmement, elle ne voulait pas avoir l'air de la fille qui n'a pas d'amies… Heureusement, sa mère l'invita à faire du ski en compagnie de Jacques à quelques reprises. Malgré cela, le temps des Fêtes passa beaucoup trop lentement à son goût. Au retour, en janvier, Alizée était contente de retrouver ses amies et même Yannick. Les deux partenaires de physique s'entendaient toujours aussi bien et une belle camaraderie s'était installée entre eux. Le jeune homme ne parlait jamais de sa blonde – s'il en avait une – et Alizée essayait de chasser les sentiments qui commençaient à croître en elle. Son mantra était le suivant : «Il est trop petit pour toi, tu ne pourras jamais porter de talons hauts…» Elle se répétait cette phrase chaque fois qu'elle croisait son regard bleu et rieur, et ce, même si elle avait de plus en plus de difficulté à y croire. Un midi, n'en pouvant plus, elle décida d'en avoir le cœur net et de faire la lumière sur cette mystérieuse fille.

— Sais-tu si Yannick a une blonde ? demanda-t-elle à Charlotte.

Cette dernière fronça les sourcils, puis un sourire naquit sur ses lèvres.

— Arrête de sourire de même..., lui dit Alizée, consciente que sa question laissait entrevoir l'intérêt qu'elle portait au jeune homme.

— Je ne souris pas, répondit Charlotte d'un ton rieur.

— Menteuse !

— Entre nous, tu es pas mal plus menteuse que moi, blagua-t-elle.

— Bon ! Le sais-tu, oui ou non ?

— Hum ! Non, je ne sais pas. En fait, je ne pense pas, mais je ne le connais pas si bien que ça. Je peux lui demander, si tu veux, proposa-t-elle.

— Non, c'est correct. Je vais le faire moi-même.

— Tu es certaine ?

Alizée hésita. C'est sûr que ce serait plus facile si Charlotte le lui demandait, mais la jeune fille n'était pas réputée pour être discrète. Des plans pour que l'école au complet soit au courant qu'elle le trouvait un peu de son goût. C'était probablement mieux qu'elle s'en occupe elle-même. De ce qu'elle savait, Yannick n'était pas du genre à s'intéresser aux filles populaires. Peut-être qu'il ne savait même pas qu'il avait des chances avec elle? Il valait mieux qu'il l'apprenne de sa propre bouche.

— Je vais m'en occuper toute seule. Je suis quand même capable de demander à un gars s'il a une blonde. Ça se glisse bien dans une conversation.

— Vas-tu l'inviter à venir au bal avec toi? demanda Charlotte, tout excitée.

— Je n'irais pas jusque-là, quand même. Je veux juste savoir s'il a une blonde. C'est tout.

— C'est vrai qu'il est peut-être un peu petit pour t'accompagner. Tu ne pourrais pas porter de talons hauts, constata Charlotte.

Oh non! Si Charlotte avait remarqué ce problème, ça voulait dire que c'en était vraiment un! conclut Alizée.

— Hé! C'est qui la femme là-bas? demanda Charlotte en changeant de sujet.

Alizée suivit son regard et remarqua une dame qui se promenait dans l'agora. Elle comprit ce qui avait attiré l'attention de son amie. Elle avait les cheveux blonds décolorés. Ils étaient tellement «bleachés» qu'on aurait dit une poupée Barbie.

— C'est pas la nouvelle directrice? demanda Alizée.

— Tu penses?

Charlotte plissa les yeux pour mieux la voir. Effectivement, elle reconnut leur directrice. Cette dernière avait les cheveux brun foncé la semaine précédente et voilà qu'elle était blonde. Le contraste était frappant.

— J'ai toujours trouvé qu'elle avait l'air un peu pitoune, mais là, elle exagère carrément, conclut Alizée. Ça ne fait pas très professionnel. On ne passe pas du brun au blond d'un seul coup, en plus. Sa coiffeuse aurait dû le lui dire...

Charlotte acquiesça d'un hochement de tête.

— As-tu vu ses souliers? continua Charlotte. Je ne serais jamais capable de porter des talons hauts de même. Il me semble que ça doit pas être confortable pour travailler.

— Et tu ne trouves pas que sa jupe est courte, aussi? Elle doit avoir au moins quarante ans... Même si elle a de belles jambes, elle devrait apprendre à s'habiller en fonction de son âge.

Encore une fois, Charlotte opina du bonnet, le regard toujours fixé sur la femme qui intervenait auprès d'un jeune homme qui ne pouvait s'empêcher de loucher dans son décolleté. Il fallait dire qu'il avait une bonne tête de plus qu'elle et que son regard ne pouvait que passer par là.

— On va pouvoir l'appeler gentiment entre nous «la directrice danseuse». Elle a peut-être fait ça pour payer ses études…, blagua Alizée.

Charlotte rit de bon cœur elle aussi et cela plut à l'adolescente. Son amie s'était toujours montrée bon public.

— Je pense que je vais inviter Laurent au bal, ajouta Charlotte, changeant encore une fois de sujet.

— Laurent, l'ami de Yannick?

Son regard dévia vers le fond de la cafétéria où les garçons jouaient au *hacky*.

— Oui, lui! Je le trouve vraiment *hot*.

Alizée prit quelques minutes pour regarder le gars qui faisait craquer son amie. Il n'avait rien de bien particulier, mais elle avait déjà entendu dire qu'il aimait bien faire le clown. Personnellement, elle ne le trouvait pas très beau, mais elle décida de s'abstenir de tout commentaire. Elle était en train d'apprendre que la beauté, c'était peut-être un peu superficiel...

— Quand penses-tu lui demander de t'accompagner?

— Je ne sais pas, je suis gênée on dirait, répondit Charlotte.

— Je peux tâter le terrain avec Yannick, si tu veux, proposa Alizée.

Ce serait une bonne occasion pour elle de lui parler du bal.

— Ah! Tu ferais ça pour moi? T'es vraiment fine.

Alizée sourit à Charlotte. Elle lui rendait service, mais ce serait sûrement bénéfique pour elle aussi...

Plus tard, dans le cours de physique, son enseignant, pour illustrer l'une de ses notions, prit le bal des finissants comme exemple, captant aussitôt l'attention des élèves. Alizée y vit un signe : quelle bonne façon de glisser le bal dans la conversation !

— J'ai bien aimé l'exemple du prof, tantôt, dit-elle subtilement alors qu'elle mesurait l'eau distillée dans son bécher.

— Ah oui ? Lequel ?

Les hommes… Ils ne comprenaient jamais rien du premier coup !

— Celui sur le bal !

— Ah ! Je ne m'en souvenais plus. Et pourquoi tu as aimé ça ?

— Ben, je trouve ça le *fun* quand des enseignants choisissent des sujets qui nous touchent directement. Ça attire l'attention.

— L'attention des filles, tu veux dire !

— Parce que les gars ne s'intéressent pas au bal, tu penses ? demanda-t-elle.

— Pas autant que les filles, c'est sûr. C'est toujours plus complexe pour vous : la robe, la coiffure, les chaussures, le maquillage… Toutes des décisions importantes, ajouta-t-il en riant.

— Sans oublier le cavalier. Ça, c'est important, conclut-elle en lui jetant un regard en coin.

Yannick ne répondit pas à son commentaire, préférant continuer la rédaction du rapport de laboratoire. Alizée était déçue; elle n'était pas encore arrivée au résultat escompté. Mais elle ne lâcherait pas prise!

— Parlant de cavalier, est-ce que ton ami Laurent va au bal avec quelqu'un?

Le jeune homme leva la tête, surpris par la question.

— Euh, je ne sais pas, il ne m'en a pas parlé. Pourquoi? Tu voulais l'inviter? demanda-t-il à la blague.

— Pas moi, non. Charlotte!

Oups! Venait-elle de révéler un secret?

— Mais ne le dis pas à Laurent. Au fond, il serait préférable que Charlotte lui en parle elle-même. J'étais juste curieuse de savoir si elle avait une chance.

— Je ne sais pas, on ne parle jamais de ça. Mais il y a une chose dont je suis certain : quand une fille prend les devants pour inviter un gars au bal, les chances qu'il dise non sont minces.

— Ah oui? Pourquoi?

— Les gars sont paresseux de nature et n'aiment pas se donner le trouble de faire les premiers pas. En plus, inviter une fille, ça implique de prendre une décision; une autre chose que les jeunes de mon âge ont de la misère à faire.

Alizée éclata de rire, ce qui lui attira un regard de remontrances de la part de son enseignant, qui n'aimait pas les effusions de ce genre. Elle lui lança un regard d'excuses et se concentra à nouveau sur son expérience, mais elle avait quand même le fou rire.

— Donc, si je comprends ton raisonnement, tu n'as personne pour le bal et tu attends qu'une fille te fasse la grande demande, conclut-elle le cœur battant.

Oserait-elle lui demander de venir avec elle? C'était un peu tôt: février était à peine entamé. Mais en même temps, réserver un cavalier pour le bal, c'était comme réserver un voyage dans le Sud. Plus on s'y prenait tôt, plus les chances qu'on ait ce qu'on veut étaient bonnes.

— Non, j'ai dit que la plupart des gars sont comme ça, mais pas moi. Je sais très bien ce que je veux et je vais aussi faire les démarches pour l'obtenir, expliqua-t-il en plongeant son regard dans le sien.

Les papillons revinrent en force dans le ventre d'Alizée. Elle sentit sa bouche s'assécher. Était-ce possible qu'un gars lui fasse autant d'effet juste par la force de son regard et de ses paroles ? Personne, pas même Cédrick, n'avait jamais réussi ce tour de force. Pour se calmer, elle récita son mantra : « Il est trop petit pour toi, tu ne pourras pas porter de talons hauts… »

— C'est terminé ! annonça leur enseignant. Rangez tout et apportez votre matériel à sa place. Un membre de l'équipe doit me rapporter immédiatement le rapport de laboratoire.

Au même moment, Yannick lui remit leur copie impeccable, comme toujours, et elle s'occupa de la rapporter au bureau du prof. Pendant ce temps, son partenaire commença à ranger leur matériel. Ils s'affairèrent ainsi quelques minutes, soit jusqu'à ce que la cloche sonne. Les élèves sortirent rapidement. Alizée et Yannick les suivirent quelques secondes plus tard. Alors qu'ils mettaient le pied dans le corridor, Mme Villeneuve apparut devant eux.

— Alizée ! Te voilà. Je voulais te parler. J'ai une bonne nouvelle pour toi.

Curieux, Yannick resta à ses côtés.

— Une fille vient d'annuler son voyage et il y a donc une place disponible. Si tu veux venir à New York avec nous, la place est à toi.

Alizée sentit son cœur bondir de joie. Elle se tourna vers Yannick et s'exclama : « Yé ! Je vais l'avoir ma belle robe, moi aussi ! » Puis, elle se jeta dans ses bras, tellement elle était excitée. Surpris, il la serra contre lui, un peu plus longtemps qu'il ne l'aurait sans doute fait pour une autre fille. Alizée eut le temps de sentir son parfum, ainsi que la fraîcheur de l'assouplisseur sur son chandail, avant de se décoller. Ils se regardèrent un moment, un peu embarrassés par cette effusion soudaine. Mme Villeneuve se racla la gorge.

— Hum ! Bon, alors je prends ça pour un oui ? demanda-t-elle.

— Bien sûr. J'ai vraiment hâte !

— Excellent. Passe à mon bureau tout à l'heure pour que je te donne le formulaire à faire signer par ta mère. Tu devras aussi confirmer avec elle que son chèque est encore valide, sinon elle devra m'en faire un nouveau. En attendant, je te réserve la place !

— Parfait. Je vais passer vous voir tout de suite après l'école et je vais régler ça avec ma mère dès ce soir. Merci, madame Villeneuve. Je suis vraiment très contente ! Vous faites ma journée !

L'enseignante s'en alla et Alizée se retourna vers Yannick, les yeux brillants.

— Tout ça pour une robe de bal, commenta-t-il.

— Il faut ce qu'il faut pour être la plus belle, ajouta-t-elle à moitié sérieuse.

— Ah, pour ça, je suis certain qu'aucune fille ne t'arrivera à la cheville.

Le regard d'Alizée pétilla en entendant ce commentaire. Elle salua Yannick et se lança à la recherche de ses futures camarades de chambre d'un pas léger. Dans la dernière heure, elle avait compris deux choses. La première était que Yannick était probablement très intéressé à elle, même s'il ne le laissait pas paraître. La deuxième était qu'il attendait sans doute le moment opportun pour l'inviter au bal – il devait trouver que c'était encore un peu prématuré. Même si elle avait bien cerné son jeu, elle ne ferait pas les premiers pas ; elle attendrait qu'il l'invite. C'est ce qu'il lui avait déclaré en lui disant qu'il n'attendait pas d'être invité par une fille et qu'il ferait les premiers pas lui-même. Cela viendrait sûrement beaucoup plus vite que prévu…

— Les filles! Je viens à New York avec vous! s'exclama Alizée en apostrophant Sarah et Charlotte à la cafétéria.

— Hein! C'est *full chill*, ça. Tu l'as su quand? demanda Charlotte.

— Je viens juste. Mme Villeneuve est venue me voir à la fin du cours.

— *Nice*! répondit Sarah. On pourra le dire à Magalie. Elle partage la chambre avec nous.

Alizée s'arrêta net.

— As-tu dit Magalie?

— Oui, pourquoi?

— *Shotgun*, je dors pas avec elle! s'écria Alizée.

Charlotte et Sarah échangèrent un drôle de regard, ne comprenant pas pourquoi leur amie réagissait de cette façon. Regardant autour d'elle pour s'assurer que personne n'écoutait, l'adolescente leur raconta comment elle en était venue à savoir que Magalie avait attrapé l'herpès.

— Oh non! Je ne veux pas coucher avec elle, moi non plus, dit Charlotte avec un air horrifié.

— Franchement, Charlotte, l'herpès, ça ne s'attrape pas comme ça, expliqua Sarah.

— Peu importe, ajouta-t-elle d'un ton buté.

— Je vais dormir avec elle, moi. Je ne suis pas bébé comme vous, conclut Sarah.

— N'oublie pas de mettre un condom, blagua Alizée.

Sarah lui lança un regard exaspéré. Pauvre Magalie. Elle était sans doute tombée sur un mauvais numéro. Justement, la jeune fille était assise à une table avec des amies et jacassait gaiement. Sarah espéra que les rumeurs concernant son herpès ne se répandraient pas durant le voyage ; cela gâcherait tout.

— Évitons d'en parler, d'accord ? ajouta Sarah. Si j'étais à sa place, je n'aimerais pas que les gens bavassent dans mon dos.

— Si elle ne voulait pas qu'on le sache, elle aurait dû cacher sa bouteille de médicaments. On est capables de faire un plus un, quand même, rétorqua Alizée.

— Alizée, s'il te plaît.

— OK ! Je vais me taire. Mais attendez une minute ! Magalie est dans l'équipe de *cheers*. En théorie, elle ne devrait pas venir à New York…

— Voyons, Alizée. Sur quelle planète tu vis ? Magalie a lâché l'équipe avant les Fêtes. Pour une capitaine, tu n'es pas très à ton affaire, jugea Charlotte.

Il était vrai qu'Alizée avait séché quelques pratiques récemment. Peut-être qu'elle n'était plus faite pour les *cheers* ? Une chose était certaine, elle n'avait plus le même intérêt qu'avant. Elle restait dans l'équipe juste pour écœurer Jasmine et ça marchait relativement bien.

— Ouin, je devrais être un peu plus à mon affaire. Bon, maintenant, il faut que j'aille annoncer à la *coach* que je ne serai pas là pour la compétition du mois de mars. Je ne suis pas certaine qu'elle va aimer…

Comme de fait, l'entraîneuse l'accueillit avec une certaine froideur, elle qui n'avait eu que des bons mots pour Alizée dans le passé.

— Que puis-je faire pour toi, Alizée ?

— Je suis venue vous annoncer que je ne pourrai pas participer à la compétition du mois de mars. C'est pour des raisons personnelles…

— Comme un voyage à New York ?

Oups ! Elle ne pourrait pas lui en passer une petite vite… Comment avait-elle pu être au courant si rapidement ?

— Peut-être… est-ce que ça change quelque chose ? demanda la jeune fille.

— Oui, en effet. C'est notre plus grosse compétition de l'année. Comment veux-tu que les filles de l'équipe se sentent si leur propre capitaine n'est même pas là? Elles voulaient toutes aller à New York, elles aussi, mais elles ont fait le sacrifice pour leur équipe.

Alizée sentit le remords grandir en elle. Elle était présente, à l'auditorium, quand Selena avait dit aux *cheers* qu'elles ne pouvaient pas participer au voyage à cause de la compétition, mais elle ne s'était pas sentie du tout interpellée par cette remarque. Elle voulait tellement aller à New York...

— Je pense que tu dois faire un choix, conclut la *coach*. C'est New York ou l'équipe.

— Je trouve que vous exagérez de m'imposer un choix comme celui-là. Vous n'êtes que l'entraîneuse, pas ma mère...

— Dans l'équipe, c'est moi, la mère. Et donc, j'en profite pour te rappeler que tu as manqué les quatre dernières pratiques. Au fond, nous nous débrouillons très bien sans toi. Je pense que nous n'avons plus besoin de tes services. Tu viendras me remettre ton uniforme.

Alizée était scandalisée. Voilà qu'elle se faisait mettre dehors de l'équipe de *cheers*. Elle était bien bonne, celle-là. Plusieurs remarques méchantes lui montèrent aux lèvres, mais elle se retint. La *coach* était bavarde et, en plus, elle était très amie avec Mme Villeneuve. C'était probablement elle, d'ailleurs, qui avait vendu la mèche pour le voyage. Alizée ne voulait pas avoir mauvaise réputation auprès de l'organisatrice du bal, donc elle garda ses commentaires pour elle. L'adolescente sortit du bureau en colère. En chemin vers son casier, elle espéra que la pyramide de *cheerleaders* s'écroule en plein milieu du numéro. *Ce serait bien fait pour elles!*

Alizée se rendit chez elle, ce soir-là, toute contente. Elle avait eu une excellente journée et avait hâte de dire à sa mère qu'elle allait à New York. Le seul nuage noir à l'horizon était son renvoi de l'équipe de *cheerleaders*, mais ce n'était pas si grave. Elle entrerait au cégep l'année suivante et tout cela deviendrait futile et sans intérêt. Elle préférait se concentrer sur la préparation au bal: ça, c'était utile! Alors qu'elle entrait dans la maison, son cellulaire sonna. C'était Jacques. La jeune fille se demanda ce qu'il voulait.

— Allô, Jacques.

— Bonjour, Alizée! Je me demandais si tu avais un peu de temps pour me dépanner...

— Te dépanner? À la clinique?

— Oui, c'est le bordel, ici. Une des infirmières est malade et l'autre a décidé de quitter son travail aujourd'hui. Pourrais-tu venir pour quelques heures?

Décidément, c'était une journée pleine de surprises.

— Tu me fais assez confiance pour ça? demanda-t-elle, un peu sarcastique.

Jacques soupira. Les adolescentes n'étaient décidément pas de tout repos.

— Bien sûr que oui!

— Très bien, j'arrive immédiatement.

— Merci! Tu me rends un grand service. À tantôt.

Alizée raccrocha, satisfaite. Peut-être que Jacques accepterait de lui redonner son ancien travail. Il lui devrait bien ça…

Arrivée à la clinique, contrairement à son habitude, Alizée ne s'installa pas à l'arrière pour faire des appels, mais bien au comptoir principal pour gérer l'arrivée des patients. Après une heure relativement chargée, il y eut une petite accalmie qui lui permit de souffler un peu. Une chance qu'elle était venue pour aider Jacques, car l'autre secrétaire ne s'en serait jamais sortie toute seule. Depuis que les bureaux de médecins offraient plus d'heures aux patients, ça ne dérougissait pas. Pendant qu'Alizée regardait la liste des rendez-vous pour le lendemain – elle s'ennuyait un peu, maintenant que la salle s'était presque vidée – une autre patiente se présenta. La jeune fille remarqua en premier son ventre imposant, comme celui de Nancy quelques mois plus tôt. Ensuite, son regard remonta vers le visage de la future maman qui n'était nulle autre que Julie Lebeau, la fille qu'Alizée avait intimidée sur Facebook deux ans plus tôt. Si elle fut surprise de la voir, il en fut de même pour Julie, qui ne s'attendait pas à croiser une camarade de classe chez son médecin, surtout pas derrière le comptoir. Ne pouvant décemment pas agir comme si elle ne la connaissait pas, Alizée lui fit un grand sourire et prit un ton professionnel pour s'adresser à elle.

— Bonjour, Julie! Comment ça va?

— Salut, Alizée, répondit-elle tout bas. J'ai rendez-vous avec le Dr Longpré.

— Très bien, je regarde ça !

Pendant qu'elle cherchait son nom, elle perçut le malaise de la future maman.

— Je n'étais pas au courant que tu travaillais ici, dit Julie.

— Oui, c'est juste un emploi d'étudiante, mais j'aime vraiment ça. Je suis certaine que ça va m'aider, je veux devenir médecin moi-même…

— Ah oui ? Je ne savais pas…

— Tu es à combien de semaines de grossesse ? demanda Alizée d'un ton professionnel.

— Trente-six.

— OK. Tiens, je te donne un pot, tu peux aller faire pipi dedans. Ensuite, laisse-le-moi au comptoir.

La jeune fille prit le pot, un peu embarrassée, – même si elle faisait le même test à chaque visite – puis se dirigea vers la salle de bain. Quelques minutes plus tard, elle ressortit, le petit pot emballé dans des serviettes de papier brun. Alizée le prit, toujours aussi professionnelle, et le déposa sur son dossier, toujours en souriant. Voyant que c'était calme, et même si elle était encore un peu gênée, Julie resta près du comptoir, dans l'intention de jaser un peu. C'était mieux que de lire des vieilles revues à potins.

— Et puis, quels sont tes plans pour l'année prochaine? demanda-t-elle à Alizée.

— Aller au cégep. Et toi?

— Je veux aussi terminer mes études à temps plein. J'ai bien l'intention de m'inscrire au cégep l'année d'après. Je ne veux pas prendre trop de retard...

Alizée jeta un œil critique au ventre proéminent de la jeune fille. Impossible pour elle de s'occuper d'un bébé et d'aller à l'école en même temps. Cela relevait du défi. Avait-elle décidé de ne pas garder le bébé? Ce serait une décision très raisonnable... Elle n'eut pas le temps de le lui demander, car l'infirmière l'appela. Alizée aurait bien aimé feuilleter son dossier, question de voir s'il y était question d'adoption, mais elle décida de s'en abstenir. Si elle voulait que Jacques la réengage, il fallait qu'elle reste discrète. Toutefois, elle avait vraiment hâte de raconter à Charlotte et à Sarah qu'elle avait vu Julie. Personne ne l'avait vue aussi «enceinte». Ce serait une anecdote très intéressante...

Quelques jours plus tard, Alizée fêta son dix-septième anniversaire. Pour l'occasion, sa mère engagea une gardienne et elle et Jacques la sortirent dans un bon restaurant. En cachette, ils avaient invité Charlotte et Sarah, et Alizée fut heureuse de les trouver à leur table. Tout le monde eut droit à un excellent souper et même à un verre de vin. Le lendemain, ce fut au tour de Charles de souligner son anniversaire. Il lui offrit une carte Visa prépayée à dépenser en voyage et il lui paya un soin dans un institut de beauté. La jeune fille se fit faire un massage ainsi qu'un soin des pieds. Elle aurait de beaux pieds pour se baigner à l'hôtel pendant son voyage. Elle fut très satisfaite de son anniversaire, bien plus que de celui de l'année précédente qu'elle avait pratiquement passé seule. En plus, elle avait maintenant plus d'argent de poche à dépenser à New York. Elle pourrait s'acheter une robe fabuleuse qui ferait mourir d'envie toutes les filles du bal.

Même si elle les avait vues au restaurant pour son anniversaire, Alizée n'avait pas pu discuter du cas de Julie Lebeau avec ses amies, puisque sa mère et Jacques étaient là. Avec les examens, la préparation au voyage et la planification du bal, Alizée ne trouva pas non plus le temps de leur en parler avant le départ pour New York. Cela tombait bien, car elles avaient neuf heures d'autobus devant elles, ce qui leur donnerait amplement le temps de bavarder. Le départ eut lieu à cinq heures du matin. Les deux premières heures, les filles papotèrent gaiement, heureuses de partir à l'aventure. Puis, aux alentours de la frontière américaine, plusieurs jeunes s'assoupirent, mais la sieste ne dura pas longtemps, puisque chacun dut présenter son passeport à un douanier peu amical. Et le voyage reprit de plus belle. Mme Villeneuve et les autres accompagnateurs s'étaient mis en tête d'occuper les jeunes en les nourrissant, comme le faisaient les agents de bord dans les avions. Chaque heure, ils distribuaient des collations à ceux qui avaient faim. Quand les jeunes commencèrent à se fatiguer de ne rien faire, le chauffeur de l'autobus mit un vieux film, ce qui les occupa aussi quelque temps. Pendant que le film jouait, Alizée se décida enfin à parler de Julie.

— Hé! Ça fait un bout de temps que j'ai quelque chose à vous dire, mais ça n'adonnait jamais, commença-t-elle. Vous ne devinerez jamais qui j'ai vu à la clinique, l'autre jour.

— Qui donc? s'informa Charlotte, toujours curieuse.

— Julie Lebeau!

— Julie Lebeau? La fille qui était supposément enceinte? demanda Magalie en se joignant à la conversation.

Comme elle partageait la même chambre que les trois amies, elle s'était donné la permission d'intégrer le petit groupe comme si elle en avait toujours fait partie, ce qui ne plaisait pas particulièrement à Alizée. Mais bon...

— Elle n'est pas «supposément» enceinte, rectifia Alizée d'un ton un peu sec. Elle est carrément sur le point d'exploser. Je me demande même si elle n'a pas déjà accouché. À partir de trente-sept semaines, c'est possible, expliqua-t-elle d'un ton expert.

— Est-ce qu'elle allait bien? demanda Sarah, toujours soucieuse du bien-être des autres.

— Elle avait l'air, pour une ado enceinte...

— Est-ce qu'elle t'a parlé? Moi, j'aurais été gênée de me retrouver face à quelqu'un que je connais. Surtout qu'elle a quitté l'école quand sa situation est devenue visible, ajouta Charlotte.

— On a jasé quelques minutes, expliqua Alizée. Au début, c'était clair qu'elle était gênée, mais comme je suis très professionnelle dans mon travail, je l'ai vite mise à l'aise!

Sarah roula des yeux. Elle détestait quand Alizée se vantait de la sorte. Au moins, elle le faisait moins souvent qu'avant.

— Sais-tu ce qu'elle va faire avec le bébé? demanda Charlotte.

— Eh bien, si j'ai tout compris, il semble qu'elle va le donner en adoption. C'est la meilleure option, puisqu'elle veut continuer ses études et rattraper son retard scolaire.

— Ah oui? Elle a dit ça? C'est triste, dit Charlotte. Mais comme tu le dis, c'est peut-être mieux pour le bébé. Si elle trouve de bons parents aimants, ils peuvent devenir une merveilleuse famille adoptive.

— Moi, je ne serais pas capable de me séparer de mon bébé, même si mes parents m'obligeaient à le faire, observa Magalie.

Alizée se retint de lui dire qu'avec son herpès, les chances qu'elle trouve un gars qui voulait coucher avec elle étaient minces, mais un regard sévère de Sarah l'en dissuada. La conversation continua sur la grossesse et l'adoption, mais, même si elle avait initié le sujet, Alizée s'en lassa rapidement. Elle baissa son banc au maximum et tenta de se reposer quelques heures. Elle ne voulait pas avoir l'air fatiguée lors des essayages de robes de bal.

Dès qu'ils furent arrivés à New York, les jeunes virent leur fatigue disparaître et l'enthousiasme les regagner. Alizée fit semblant de ne pas être trop impressionnée par la ville; après tout, elle était déjà venue. À l'hôtel, il fallut un bon moment pour distribuer les chambres. Une fois tout le monde installé, les accompagnateurs circulèrent pour s'assurer qu'aucun garçon ne s'était glissé dans la chambre d'une fille ou vice versa. Après l'histoire de Julie, pas question qu'une autre fille de l'école arrive enceinte, surtout pas après un voyage scolaire. Comme il leur restait un peu de temps avant leur première sortie, tous décidèrent d'aller à la piscine de l'hôtel. Après la baignade, le trio et Magalie remontèrent à la chambre et cette dernière fila sous la douche.

— Ah! J'étais à côté de Magalie dans la piscine et je me sentais *full* pas bien. On dirait que c'était dégueu d'être à côté d'elle, chuchota Charlotte.

— Tu exagères, répliqua Sarah.

— Pensez-vous qu'on devrait lui dire qu'on est au courant pour son herpès? demanda Charlotte. Elle se sentirait peut-être plus en confiance avec nous…

— Pas question, trancha Alizée. Si elle sait qu'on connaît son secret, elle va vouloir devenir amie avec nous et ça me tente pas. Je ne veux pas qu'on soit associées à elle. Ça va pour la durée du voyage, mais après ça, je ne veux plus la voir avec nous.

La dureté de son ton rappela à Sarah l'Alizée d'autrefois. Est-ce que son amie avait réellement changé? Ce voyage lui permettrait sans doute de le découvrir.

8
LES ÉTUDES

Finalement, Sarah n'eut plus de raisons de douter d'Alizée. Cette dernière se montra agréable tout au long du voyage. Bon, elle en profita largement pour faire étalage de tous les endroits extraordinaires qu'elle avait visités dans la ville, mais il était impossible qu'elle change complètement. Somme toute, ce fut un périple très plaisant. Sarah et Charlotte avaient acheté de magnifiques tenues noires et Alizée en avait choisi une blanche. Son choix de thème s'était avéré très judicieux : toutes les voyageuses avaient déniché des robes différentes et uniques. Pendant ce temps, les gars avaient écouté une partie de basket-ball au Madison Square Garden. Tout le monde y avait trouvé son compte ! La réalité les rattrapa cependant rapidement et le mois de mars s'évapora littéralement. Était venu le temps des inscriptions au cégep et Alizée s'était inscrite en sciences de la nature. Ses notes étaient très bonnes, mais elle n'aurait jamais réussi à performer autant en physique sans l'aide de Yannick. Ce dernier, bien qu'elle l'ait informé qu'elle s'était trouvé une magnifique robe à New York, ne l'avait toujours pas invitée à l'accompagner au bal. La jeune fille commençait à s'impatienter, surtout depuis que Laurent avait demandé à Charlotte d'être sa cavalière. Le message d'Alizée s'était rendu jusqu'à Laurent, mais ne s'était pas arrêté à Yannick. Elle commençait à se demander si elle ne devait pas envoyer Charlotte en émissaire.

Un midi, alors qu'elle dînait avec ses amies, Alizée le vit arriver en trombe dans la cafétéria. Il s'arrêta net, scruta la foule du regard, et redémarra lorsqu'il repéra Alizée.

— On dirait que Yannick te cherche, lui fit remarquer Sarah, toujours aussi observatrice.

— Peut-être qu'il va enfin t'inviter au bal ? ajouta Charlotte.

Alizée lui fit de gros yeux. Le jeune homme était proche, il aurait pu l'entendre. Mais au fond, ça aurait été aussi bien.

— Alizée. Je suis content de te trouver. Je viens d'avoir une super bonne nouvelle !

— Est-ce que ça a un lien avec le bal ? demanda Charlotte innocemment.

Sarah sourit à sa répartie, mais Alizée lui fit encore de gros yeux.

— Le bal ? Non ! Aucun rapport. Tu sais, je t'avais dit que j'avais soumis ma candidature pour aller passer une semaine à l'université. Pour le cours de droit.

— Oui, oui, je m'en souviens, acquiesça Alizée.

— Eh bien, je viens d'apprendre que j'ai été accepté, annonça-t-il. Une semaine à l'université ! Ça va être vraiment *nice*.

Alizée n'avait jamais vu Yannick aussi énervé. Ses yeux brillaient et il ne tenait plus en place. Elle était vraiment contente pour lui : il lui parlait de ce projet depuis plusieurs semaines déjà.

— C'est une excellente nouvelle ! s'exclama-t-elle. Bravo !

— Oui, bravo ! le félicita aussi Sarah. J'ai eu la chance de faire un stage de ce genre l'été dernier. C'est vraiment passionnant et déterminant dans le choix d'une carrière.

Sarah et Yannick se lancèrent dans une conversation sur les différents types de stages, ce qui ennuya rapidement Alizée et Charlotte. Elles continuèrent à grignoter leur lunch en observant les gens assis à la cafétéria. Quand Jasmine entra dans le champ de vision d'Alizée, elle remarqua que cette dernière la regardait d'un air moqueur. Son regard allait d'elle à Yannick.

Puis, elle se pencha vers une amie et chuchota quelque chose à son oreille. L'amie regarda Alizée et son compagnon et éclata ensuite de rire, suivie de Jasmine. La principale concernée se sentit automatiquement visée et sur la défensive. Qu'est-ce que la *cheerleader* avait bien pu dire à sa copine pour la faire rire de la sorte? Ça ne pouvait que concerner le jeune homme qui venait de s'asseoir à côté d'elle.

— Ça va, Alizée? Tu as l'air bizarre.

Charlotte, Yannick et Sarah avaient arrêté de parler et la regardaient. Il était rare que la jeune fille passe autant de temps sans émettre un commentaire.

— Oui, ça va, mentit-elle en faisant un sourire forcé.

— Bon, les filles, je vous laisse, annonça Yannick. Je vais aller annoncer la bonne nouvelle à mes amis. Quoique je doute que l'un d'eux sache ce qu'est l'université, blagua-t-il. Alizée, on se voit tantôt en physique!

— Bye, répondit-elle d'un ton un peu froid.

Le jeune homme s'éloigna, inconscient du changement de ton de sa partenaire de laboratoire.

— Pourquoi tu as cet air-là? demanda Sarah.

— Quel air ?

— Voyons, Alizée. Ne nous prends pas pour des imbéciles, dit Charlotte. On a bien vu que quelque chose a changé dans les dernières minutes.

Sarah acquiesça d'un signe de tête.

— Oh ! C'est juste que Jasmine riait de moi avec son amie et je sais pas pourquoi. En fait, je sais pas pourquoi ça me dérange autant, c'est une vraie conne cette fille-là, expliqua Alizée.

Sarah et Charlotte se retournèrent en même temps pour observer Jasmine.

— Les filles ! Tournez-vous pas comme ça. Vous êtes vraiment pas subtiles…

— Penses-tu que Jasmine riait de toi à cause de Yannick ? suggéra Sarah.

Voilà la supposition qu'elle n'avait pas envie d'entendre. Le jeune homme n'était certes pas populaire, mais il était intelligent et drôle, deux qualités qu'on ne pouvait pas lui attribuer sans vraiment le connaître. Jasmine n'avait aucune idée du genre d'individu qu'il pouvait être et elle riait de lui. C'était vraiment méchant.

— Il va falloir que tu t'endurcisses un peu, Alizée, lui fit remarquer Sarah. Si tu vas au bal avec lui, Jasmine et ses amies vont être là et ça se peut qu'elles rient de vous pendant la soirée. Rappelle-toi comment tu pouvais te moquer ouvertement des gens quand tu étais dans les *cheers*!

L'adolescente se remémora l'époque où, en compagnie d'Amélie, elle parlait contre toutes les filles qui étaient un peu grosses, un peu laides, un peu mal habillées… C'était le bon temps, mais il était maintenant révolu. Serait-elle prête à endurer les moqueries pendant l'une des soirées les plus importantes de sa vie? Sarah avait touché un point sensible avec son commentaire. Il faudrait qu'elle prenne le temps d'y réfléchir. Heureusement qu'il ne l'avait pas invitée, finalement.

— Je vais y penser, conclut-elle.

Sarah et Charlotte échangèrent un regard. Deux ans plus tôt, jamais Alizée n'aurait envisagé de parler à Yannick et voilà qu'elle avait envie qu'il l'accompagne au bal. Elle avait vraiment changé en peu de temps, mais il fallait qu'elle persiste dans cette voie plutôt que de rebrousser chemin dès que quelqu'un semblait la regarder un peu croche. Elles se promirent de tout mettre en œuvre pour l'aider à faire ce cheminement.

Plus tard ce jour-là, alors qu'ils effectuaient une expérience, Alizée observa son partenaire d'un œil scrutateur, au point où il lui demanda si tout allait bien.

— Tu es bizarre, aujourd'hui, lui dit-il.

— Ah oui ? Je ne m'en étais pas aperçue. Je dors mal, Laurier fait des dents, mentit-elle.

C'était assez facile de tout mettre sur le dos du bébé. Cette information parut satisfaire Yannick et il continua l'expérience sans demander plus de détails. Debout à côté de lui, Alizée persistait à se dire qu'il était vraiment trop petit pour elle, même s'il la dépassait de quelques centimètres. Ce n'était pas le meilleur des arguments, mais il fallait bien qu'elle trouve quelque chose pour se convaincre.

— Tu vas pouvoir te débrouiller sans moi, la semaine prochaine ? demanda-t-il.

— Comment ça ?

— Ben, je vais être à l'université…

— Ah oui, c'est vrai. Bien sûr que je vais me débrouiller. Notre succès n'est pas dû uniquement à tes capacités.

Le jeune homme lui fit le fameux sourire en coin qui déclenchait toujours les papillons dans son ventre, mais Alizée détourna le regard pour ne pas être «contaminée». Si Yannick perçut son changement d'attitude, il n'en laissa rien paraître.

Toute la semaine, la jeune fille tenta de l'éviter. Elle qui, quelques jours plus tôt, attendait avec impatience qu'il l'invite au bal, voilà qu'elle n'était plus certaine de vouloir être vue en sa compagnie. Tout ça à cause de Jasmine… Quand, le vendredi, la fin de la journée arriva, Alizée souffla un peu. Yannick serait parti toute la semaine suivante; ça lui laisserait le temps de réfléchir à ce qu'elle souhaitait vraiment pour le bal de fin d'année.

Le mercredi suivant, tous les élèves de cinquième secondaire furent conviés à l'audito-rium. Mme Villeneuve souhaitait leur faire un résumé des événements qui auraient lieu en vue de préparer le bal. Elle eut de la difficulté à obtenir le silence, car les jeunes étaient très énervés.

— S'il vous plaît! cria-t-elle pour la troisième fois dans le micro.

Le blabla continua dans la salle.

— Bon, si vous n'écoutez pas, vous retournez à vos cours et j'annule la cérémonie de remise des diplômes, menaça-t-elle.

Le silence tomba dans l'auditorium. Personne ne voulait que cet événement traditionnel soit annulé.

— Enfin. Il faut toujours vous menacer pour que vous écoutiez. Bonjour tout le monde! Je ne vous garderai pas longtemps, aujourd'hui. Je voulais vous donner les dates à noter à votre agenda et vous expliquer de quelle façon vous devez vous y préparer.

Pendant que Mme Villeneuve parlait sur la scène, Alizée sentit quelqu'un lui taper sur l'épaule. Elle se retourna et croisa le regard de Zachary, le capitaine de l'équipe de football de l'école. Elle ne le connaissait pas beaucoup, mais elle savait qu'il était très bon comme quart-arrière et qu'il espérait être recruté par une équipe universitaire des États-Unis. Zachary n'était pas particuliè-rement intelligent, mais il était beau, musclé, il avait de l'argent et, surtout, il était très grand.

Charlotte avait d'ailleurs longtemps fantasmé sur lui, trouvant que son gabarit la ferait avoir l'air plus mince si elle sortait un jour avec lui.

— Alizée, dit-il, j'ai pensé que ce serait concept si la capitaine de l'équipe de *cheers* accompagnait le capitaine de l'équipe de football au bal. Tsé, comme dans les films américains…

— C'est très concept, mais je ne fais plus partie de l'équipe de *cheers* depuis plus d'un mois, répondit-elle.

— Ah non? Je n'avais pas remarqué. Tu es sûre de ça?

Alizée roula des yeux. Il devait blaguer, c'était évident. Il eut l'air embarrassé un moment. Cette nouvelle défaisait tous ses plans. Mais il trouvait qu'Alizée était la plus belle fille de l'école…

— On pourrait y aller ensemble quand même, proposa-t-il. Un beau gars et une belle fille, ça va faire des belles photos…

Alizée réfléchit un instant. Dans un premier temps, elle fut tentée de dire non. Il avait beau être séduisant, il n'avait pas beaucoup de conversation et était réputé comme étant très vantard. Dans un deuxième temps, personne ne l'avait encore invitée au bal. De plus, c'était vrai que deux belles personnes qui s'accompagnaient au bal, c'était très *glamour*! Elle pourrait porter des souliers de la hauteur qu'elle voulait et, comme il avait de l'argent, il louerait sans doute une limousine ou un truc génial pour la conduire au bal. C'était sans doute la meilleure solution. Après tout, si Yannick avait vraiment voulu l'inviter, il aurait dû le faire bien avant Zachary. Ne réfléchissant pas davantage, elle accepta sa proposition, même si ce n'était pas le genre d'invitation qu'elle s'était imaginé. Elle aurait aimé quelque chose d'un peu plus formel, mais bon. Zachary ne semblait pas du genre «formel». Elle se tourna ensuite vers Selena, qui était assise près d'elle, et lui annonça, juste assez fort pour que Jasmine l'entende, que le joueur de football venait de l'inviter. Elle savait que cette nouvelle rendrait Jasmine jalouse et elle avait envie de se venger un peu. C'était bien fait pour elle, après tout, elle avait ri de Yannick…

La semaine passa rapidement. Alizée avait officiellement repris son poste au bureau de médecins, ce qui lui plaisait vraiment. Stan, du club de golf, l'avait appelée pour qu'elle reprenne du service dès que l'école serait terminée. Elle n'avait pas encore dit oui. Elle se laissait un peu de temps pour y penser. Cédrick ne serait plus là pour la divertir et l'idée de passer l'été en compagnie du gérant ne lui plaisait pas particulièrement. Elle espérait en fait que Jacques pourrait lui garantir plus d'heures à la clinique…

Alizée profita de la fin de semaine pour aller faire les boutiques avec sa mère. Il lui restait quelques accessoires à acheter pour le bal, entre autres des sandales. Elle n'en avait pas trouvé à New York, mais avait une bonne idée du modèle qui lui plaisait. Pendant leur séance de magasinage, la jeune fille parla un peu de Zachary à sa mère, mais son manque d'enthousiasme n'échappa pas à Nancy.

— Tu sais, dit-elle alors qu'elles entraient chez Browns, moi, je suis allée seule à mon bal.

— Ah oui? Pourquoi? Tu étais belle, pourtant. Tu ne devais sûrement pas avoir de difficulté à te faire un chum.

— C'est vrai, affirma sa mère avec un sourire, mais personne ne me plaisait au point d'être digne de m'accompagner. Ce n'est pas ton mariage, c'est juste un bal. Au fond, l'intérêt de cette soirée est de s'amuser en bonne compagnie…

Le commentaire de Nancy toucha Alizée. Il était clair qu'elle essayait de lui passer un message sur son choix de prétendant, mais la jeune fille aurait préféré ne pas y aller du tout plutôt que de s'y présenter seule.

— Est-ce que toutes tes amies ont des cavaliers ? demanda Nancy.

— Charlotte, oui. Sarah, non. Je pense qu'elle fréquente encore ce gars qu'elle a rencontré l'été passé dans les Rocheuses. Elle est assez discrète sur le sujet. Elle y retourne cet été.

— Elle va encore en voyage ? Je pensais que Sarah était pauvre, lui fit remarquer Nancy. Il me semble que son père avait peu de moyens…

— C'est vrai, mais elle a hérité quand sa mère est morte. Je ne sais pas si c'était un gros montant, mais son train de vie a changé depuis.

Nancy hocha la tête. Elle savait ce que l'argent avait comme pouvoir, autant quand on en avait que quand on n'en avait pas. Tant mieux pour Sarah si elle pouvait bénéficier un peu de sa situation familiale.

— Wow! As-tu vu ces sandales? s'exclama Alizée.

Elle s'extasiait devant une superbe paire de sandales Michael Kors blanches sûrement un modèle exclusif. Leur seul défaut, à part le prix faramineux, était qu'elles étaient plates. Sa robe serait trop longue si elle les choisissait et elle trébucherait toute la soirée.

— Regarde celles-là, elles sont jolies aussi.

Sa mère lui tendit une autre paire, non griffée. C'est vrai qu'elles étaient belles et le subtil motif pied-de-poule ajouterait une note parfaite au thème noir et blanc. Alizée décida de les essayer et demanda aussi au vendeur de lui apporter les Michael Kors. Elle essaya les deux paires. Les plates étaient vraiment belles, mais celles à talons feraient mieux l'affaire. En remettant le modèle sur l'étagère, la jeune fille ressentit un petit pince-ment au cœur. Puisqu'elle travaillait, elle aurait les moyens de se les payer, mais à quel moment les porterait-elle? C'était une dépense inutile.

— Je veux juste envoyer une photo des sandales Michael Kors à Charlotte. Je suis sûre qu'elle va capoter comme moi.

Elle prit une photo avec son iPhone pendant que Nancy payait l'achat. Aussitôt, son amie lui répondit.

Malade ! Vas-tu les acheter ?

Non. Ma robe est trop longue…

— C'est plate que tu te maries pas cet été, maman. J'aurais pu les acheter pour cette occasion.

— Tu vas voir, il y a plein d'autres occasions qui vont se présenter. En attendant, celles que tu as choisies sont superbes. Tu vas être la plus belle, comme toujours.

Alizée sourit faiblement. Elle devait se l'avouer, la perspective du bal ne l'enchantait plus autant qu'avant.

Le lundi suivant, une bonne nouvelle l'attendait à son retour de l'école.

— Il y a une lettre pour toi, lui annonça Nancy quand elle franchit la porte.

— Ah oui ? De qui ?

— Du cégep, répondit-elle toute excitée. Allez, ouvre-la. Je m'en suis empêchée tout l'après-midi.

Alizée déchira l'enveloppe et prit connaissance du contenu de la lettre, Nancy lisant par-dessus son épaule. Elle se tourna vers sa mère et lui sauta dans les bras.

— Je suis acceptée en sciences de la nature! cria-t-elle toute contente.

— Bravo, ma grande, lui dit sa mère en la serrant dans ses bras. Je suis vraiment fière de toi. Une future chirurgienne-plasticienne… Un deuxième médecin dans la famille, wow! Tu pourras me refaire les seins gratuitement, blagua-t-elle.

Alizée sourit à cette remarque. Depuis que Nancy avait arrêté d'allaiter, elle se plaignait toujours de ses seins.

— Jacques, cria sa mère, viens ici!

Son beau-père arriva, Laurier dans les bras. Alizée était surprise de le voir à la maison un soir de semaine. D'habitude, il était au travail…

— Alizée a été acceptée en médecine.

— Voyons, maman, je n'ai pas été acceptée en médecine, tu exagères.

— C'est presque pareil! Ce n'est qu'une question d'années.

Alizée secoua la tête. Autant Nancy était intelligente, autant il arrivait que ses commentaires soient vraiment stupides.

— Tu as été acceptée au cégep en sciences de la nature? demanda Jacques.

En voilà un qui comprenait, au moins.

— Félicitations! Nous sommes fiers de toi.

— Appelle tes amies! On va fêter ça, annonça Nancy.

— Quoi?

— J'ai une bouteille de mousseux qui n'attend qu'à être ouverte. C'est ce soir qu'on l'ouvre. Invite Sarah et Charlotte à souper et on va trinquer.

Surprise, mais néanmoins emballée par cette initiative peu habituelle, Alizée texta ses amies. Ces dernières se présentèrent dans la demi-heure et, comme promis, Nancy ouvrit sa bouteille. Le trio trinqua à la bonne nouvelle ou plutôt aux bonnes nouvelles, car Charlotte et Sarah avaient elles aussi, ce jour-là, reçu leur lettre d'acceptation au cégep, ce qui expliquait leur joie mutuelle. Plus tard, les filles commandèrent une pizza et regardèrent un film. Ce fut un lundi soir assez hors du commun!

Le lendemain, toujours assez euphorique, Alizée annonça à Yannick qu'elle avait été acceptée au cégep en sciences de la nature. Lui-même avait été accepté dans le volet «lettres et arts, profil scientifique», un nouveau programme qui venait d'être mis en place. Cela lui laissait une plus grande ouverture pour son avenir, puisqu'il hésitait entre devenir avocat ou scientifique.

— Je n'y serais jamais arrivée sans ton aide, lui dit Alizée. La physique est ma bête noire. J'espère réussir aussi bien l'année prochaine !

— Je suis sûr que tu y arriveras. Au pire, tu viendras me consulter. En théorie, j'aurai certains cours en commun avec toi.

— Tu es fin. Et j'aimerais t'inviter à souper pour te remercier de toute l'aide que tu m'as apportée cette année.

— Vraiment ? Ce n'est pas nécessaire.

Alizée avait lancé l'invitation sans trop réfléchir à la portée de ses paroles. À la façon dont elle avait parlé, ça revenait pratiquement à une *date*…

— Bien oui, c'est nécessaire. Deux amis peuvent bien souper ensemble, non?

Elle mit l'accent sur le mot «ami».

— Dans ce cas, si c'est entre amis, j'accepte.

Étrangement, il mit lui aussi l'accent sur ce mot. Essayait-il de lui envoyer un message codé? Elle ne lui avait pas encore dit qu'elle accompagnait Zachary au bal. Elle attendait le bon moment. Mais ce moment se présenterait-il?

— Que dirais-tu de vendredi? proposa-t-il.

Hum! Un souper le vendredi, est-ce que c'était trop officiel?

— Pourquoi pas jeudi? On a une journée pédagogique, vendredi, de toute façon.

Voilà qui était mieux.

— OK. C'est une bonne idée.

Un silence s'installa. Comme si le fait qu'ils aient officiellement un rendez-vous en dehors de l'école venait de modifier toute l'essence de leur relation.

Le jeudi soir, Alizée dut remplacer au pied levé une employée de la clinique qui s'était absentée à la dernière minute. Elle termina son quart de travail sans avoir eu le temps d'appeler Yannick pour lui dire qu'elle arriverait en retard chez elle. De toute façon, elle n'aurait pas pu le rejoindre, elle avait oublié son cellulaire dans son casier à l'école. C'est donc un peu essoufflée qu'elle arriva chez elle, où elle le découvrit installé dans la cuisine en compagnie de sa mère et de Jacques. Elle resta quelques secondes sur le pas de la porte, pétrifiée par la surprise, ne s'attendant pas à un tableau de la sorte.

— Ah! Te voilà, Alizée, s'exclama Nancy. On se demandait justement ce qui te retardait. Mais nous étions en très bonne compagnie, ajouta-t-elle avec un regard en coin à Yannick.

Ce dernier fit un sourire charmeur à sa mère. Le connaissant, il devait déjà les avoir conquis.

— Je vais juste aller me changer, ça sera pas long, dit-elle.

— Prends ton temps, lui répondit Yannick. On n'est pas pressés. Ça fait pas longtemps que je suis arrivé.

Ce n'était pas lui qui l'inquiétait, mais sa mère. C'était la première fois qu'un gars venait la rejoindre à la maison. Nancy se posait sûrement plein de questions à son sujet, entre autres, pourquoi ce n'était pas lui qui accompagnait sa fille au bal? Pendant qu'elle se changeait, Alizée espéra que sa mère n'aborderait pas le sujet du bal. Elle n'avait pas encore dit à Yannick que Zachary l'avait invitée. Elle s'était donné comme obligation de le lui dire ce soir-là, mais plutôt en fin de soirée. De toute façon, ce n'était qu'un souper entre amis; il n'y avait rien de sérieux entre eux, donc pas de promesses non plus. Elle prit quand même quelques minutes pour se recoiffer et se brosser les dents. Puis, satisfaite de son image, elle remonta à la cuisine où Yannick était en train d'expliquer comment s'était déroulée sa semaine d'étude à l'université. Jacques parut très impressionné par sa maturité et son engagement scolaire. Alizée l'écouta quelques minutes et, avant que sa mère ne le relance sur un autre sujet – ou pire, l'invite à souper en «famille» –, elle annonça qu'elle mourait de faim. Aussitôt, le jeune homme se leva, remercia Nancy et Jacques pour leur hospitalité, fit un petit «bye-bye» à Laurier et escorta Alizée jusqu'à l'entrée. Elle en entendrait sûrement parler à son retour…

— Bon, où veux-tu aller manger? demanda-t-elle sur le palier de la porte.

— Si c'est toi qui payes, c'est toi qui décides, répondit-il gaiement.

Hum! Elle avait longtemps songé à cette question et c'était assez délicat. Même s'ils ne faisaient que manger «entre amis», il y avait des aliments qui ne convenaient pas à ce type de rendez-vous. Par exemple, pas de libanais, ça contenait trop d'ail. Pas de côtes levées non plus, c'était trop salissant et elle n'aimait pas voir les gens manger avec leurs mains. Des tacos? À tout coup, ils brisaient et la sauce coulait sur les doigts. Elle était bien élevée et ne voulait pas avoir l'air de ne pas savoir vivre au restaurant. Finalement, ils optèrent pour le Vieux Duluth. Ce n'était pas cher, pas salissant et tout était toujours bon. Arrivés au restaurant, ils remarquèrent qu'ils détonnaient dans le décor à cause de leur jeune âge, mais ils préférèrent en rire.

— On aurait dû apporter du vin, suggéra Alizée à moitié sérieuse.

— C'est vrai que ç'aurait pu être une bonne idée. Encore aurait-il fallu trouver quelqu'un capable de nous en acheter.

— Charlotte a une fausse carte, elle aurait pu faire ça pour nous, ça ne l'aurait sûrement pas dérangée.

Le jeune homme haussa les épaules.

— On peut avoir une soirée plaisante même sans alcool, conclut-il avec un sourire.

Ils regardèrent le menu quelques minutes puis, comme il l'avait fait chez elle un peu plus tôt, il lui parla de sa semaine d'étude à l'université. Il avait vraiment aimé le programme dans lequel il avait fait son stage, mais manquer une semaine d'école était assez éprouvant.

— Pourquoi? demanda Alizée. Tu t'es trop ennuyé de nous?

Il sourit avant de répondre.

— C'est sûr! Je me demande encore comment tu as fait pour te débrouiller sans moi… mais non, sans blague, manquer quatre cours dans presque chaque matière, c'est assez difficile à récupérer.

Tout le temps du souper, ils se taquinèrent et rirent beaucoup. Après leur repas, Yannick lui suggéra d'aller au cinéma. Plusieurs de ses amis avaient planifié de s'y rencontrer pour visionner un nouveau film qui sortait en salle ce jour-là.

— Mais si ça ne te tente pas, on n'est pas obligés d'y aller, ajouta-t-il.

— Non, c'est une bonne idée. Y'a pas d'école, demain, on peut en profiter.

Elle régla la facture et ils marchèrent jusqu'au cinéma, qui n'était pas très loin. Là-bas, on aurait dit que tous les élèves de cinquième secondaire s'étaient rassemblés pour voir le film, comme s'il s'agissait d'une activité d'école. Même Charlotte et Sarah y étaient. Alizée leur fit un signe de la main et s'apprêta à dire à Yannick que ce serait plaisant d'aller les rejoindre quand elle sentit deux bras l'enlacer.

— Si ce n'est pas ma jolie cavalière, dit une voix forte.

Surprise de se retrouver ainsi dans les bras de Zachary, elle ne remarqua pas tout de suite le froncement de sourcils du jeune homme qui l'accompagnait.

— Hum! Tu es avec un autre gars, je devrais peut-être lui casser la gueule. Tu es à moi, ma belle!

— Je ne suis pas à toi, rectifia-t-elle.

— Ben non, ben non. Je blaguais. Dis-moi donc, ta robe est de quelle couleur? Question que j'agence ma cravate...

— Le thème, c'est noir et blanc, à toi de deviner, répondit-elle d'un ton un peu froid.

Mais qu'est-ce qu'il lui prenait d'accompagner ce grand tata au bal?

— Parfait, beauté. Tu vas voir, on va attirer tous les regards. Et toi, dit-il à l'intention de Yannick, pas touche. Compris?

Il tourna les talons et retourna voir sa gang d'amis. Alizée avait peur d'affronter le regard de Yannick, mais comme il l'accompagnait, elle n'eut pas d'autre choix que de le confronter. Il semblait vraiment furieux. Mais pas contre Zachary, contre elle.

— Tu accompagnes ce con-là au bal? Depuis quand?

— Euh... j'allais t'en parler. Il m'a invitée la semaine dernière.

— Ah ouin... je ne pensais pas que c'était ton genre de gars. Je pensais que tu visais plus haut que ça.

Il faisait des efforts pour contenir sa fureur, c'était évident, et Alizée se sentait de plus en plus mal.

— Je voulais te le dire, justement. J'ai dit oui parce que personne ne m'avait encore invitée, expliqua-t-elle en le fixant droit dans les yeux. Je n'en pouvais plus d'attendre que quelqu'un fasse les premiers pas.

Dans sa façon de parler, elle tenta de le blâmer lui pour son choix de cavalier. En même temps, elle essayait de se déculpabiliser, mais cela n'eut pas vraiment l'effet escompté. Un froid s'installa entre eux. Alizée n'avait qu'une envie, retourner chez elle, mais ils avaient déjà leur billet en main. Elle se demandait si elle devait relancer la conversation sur le sujet du bal, question de clarifier quelques points. Une fois installés dans la salle, n'y tenant plus, elle lui posa la question qui lui brûlait les lèvres.

— Vas-tu au bal avec la fille qui était avec toi au *party* chez Jasmine?

Encore une fois, il fronça les sourcils. On aurait dit qu'il n'avait aucune idée de ce dont elle parlait.

— Quelle fille?

— Tu sais, tu lui parlais au *party*. Vous aviez l'air très proches, tous les deux.

— Ah! Elle. On n'était pas proches. La musique était tellement forte qu'on avait de la misère à se comprendre. C'est une amie d'enfance, mais il n'y a rien entre nous. En ce qui concerne le bal, je n'ai pas encore décidé si j'y allais ou non. Je ne suis pas trop du genre à porter un habit, si tu vois ce que je veux dire…

Alizée se demanda si ce commentaire devait la rassurer ou non. Elle décida de faire une tentative de blague.

— Tu sais, si je n'avais eu personne pour m'accompagner, on aurait pu y aller ensemble, mais avec mes talons hauts, j'aurais été vraiment plus grande que toi… Ça aurait eu l'air bizarre, non ?

Ça sonnait mieux dans sa tête qu'en vrai. Il n'eut pas l'air de trouver son commentaire très drôle – elle le constata par la façon dont il pinça les lèvres. Le film commença, mais tout au long de la projection, elle se sentit mal. Elle aurait dû lui en parler avant d'accepter l'offre de Zachary. Maudite Jasmine, tout ça était sa faute… Au fond, c'était facile pour Alizée de la blâmer, bien plus facile que d'admettre que tout était sa faute à elle. Encore une fois, elle s'était laissé aveugler par les apparences. Décidément, elle n'apprendrait jamais. Mal à l'aise et incapable de se concentrer sur le film, elle n'arrêtait pas de se tortiller sur son siège, au point que Yannick lui demanda si tout allait bien.

— Pas vraiment, je me sens mal. Je pense que je vais retourner chez moi.

— D'accord, on y va.

— Non ! chuchota-t-elle. Reste ici, ça ne vaut pas la peine que tu manques la fin du film. Je vais appeler mon beau-père pour qu'il vienne me chercher. Va t'asseoir avec tes amis. On va se revoir à l'école lundi.

— Tu es sûre? demanda-t-il d'un ton incertain. Je peux te raccompagner, ça me dérange pas.

— Oui, oui. Je te laisse même mon popcorn.

Avant qu'il n'ait eu le temps d'ajouter autre chose, elle lui planta son sac de popcorn dans les mains, agrippa ses affaires et sortit rapidement de la salle sombre. Elle avait presque envie de pleurer tellement elle se sentait mal. Une fois à l'extérieur, elle eut l'impression de respirer un peu mieux. Elle trouva un téléphone public et appela Charles. Heureusement, il était chez lui et il accepta de venir la chercher. Une dizaine de minutes plus tard, sa voiture se stationna devant le cinéma et Alizée se glissa à l'intérieur.

— Merci d'être venu, dit-elle en attachant sa ceinture.

— Qu'est-ce qui ne va pas? Des soucis avec ta mère, encore?

— Non, tout va bien de ce côté-là. C'est à cause d'un garçon...

— Oh! Je ne suis peut-être pas la bonne personne pour te conseiller, ma vie conjugale est loin d'être rose...

Sa tentative de blague avorta lorsqu'il constata qu'Alizée était vraiment en peine. Elle était contente de pouvoir se confier à Charles. Elle aurait pu en discuter avec sa mère, mais cette dernière avait l'air d'avoir été si impression-née par Yannick qu'elle n'aurait sûrement pas compris pourquoi sa fille le rejetait à cause de sa taille ou de son manque de popularité. Les adultes ne comprenaient jamais les adolescents comme il faut. Elle expliqua donc tout à Charles qui s'était stationné dans un des espaces vacants du cinéma. Elle conclut en lui disant qu'elle se sentait coupable de ne pas avoir laissé la chance à Yannick de l'inviter, mais qu'elle trouvait qu'il était trop tard pour faire marche arrière avec Zachary. De toute façon, après le fiasco de ce soir-là, elle ne pouvait pas garantir que Yannick voudrait venir au bal avec elle et la dernière chose qu'elle voulait, c'était bien de s'y rendre seule. Charles l'écouta en silence. Il ne savait pas trop quoi lui dire, les années de son secondaire étant loin derrière lui. Finalement, il décida de lui faire part de quelque chose qu'il avait constaté une fois qu'il avait terminé ses études.

— Tu sais, Alizée, quand on est au secondaire, on pense que ce qu'on fait ou ce qu'on est, c'est représentatif de toute notre vie et que nos choix auront un impact considérable sur notre futur, mais ce n'est pas vrai. Quand tu arrives au cégep et à l'université, tout le monde a oublié ce que tu as accompli au secondaire. Ça ne reste pas dans la mémoire collective. Donc, c'est à toi de choisir ce qui est le plus important. Profiter de ta popularité éphémère ou prendre une décision qui sera profitable pour les années à venir...

Alizée comprit ce que Charles essayait de lui transmettre comme message. Ses choix d'aujourd'hui n'auraient plus d'impact à l'automne suivant. Elle entrerait dans une nouvelle école, en compagnie d'étudiants qu'elle ne connaîtrait pas. Plus personne ne se souviendrait qu'elle avait fait la pluie et le beau temps au secondaire. C'était un peu dommage, mais c'était la réalité et elle en prenait maintenant conscience. Elle repensa à Yannick, qui était sûrement fâché contre elle, et à Zachary qui, tout comme elle, représentait une icône de popularité au sein de l'école. Son statut de fille populaire s'arrêterait au 30 juin. En attendant, peut-être valait-il mieux en profiter au maximum?

9
LE BAL

La fin de l'année arriva rapidement et Alizée, Charlotte et Sarah furent très occupées avec la planification du bal. Les trois filles réalisèrent à quel point la préparation d'un tel événement était colossale, mais elles étaient satisfaites de ce qu'elles accomplissaient. Presque chaque jour, elles se rencontraient pour préparer les invitations, discuter des plans de table et même vendre des billets. Cela monopolisait presque chaque minute de leur temps à l'école. Depuis leur sortie avortée au cinéma, les relations entre Yannick et Alizée restèrent polies, sans plus. L'adolescente était déçue, mais tentait de se convaincre que sa décision était la meilleure. Elle avait choisi de garder son statut de fille populaire jusqu'à la fin, à elle de composer avec sa décision.

Avant le soir fatidique, il restait deux événements majeurs : la remise des diplômes et le cours de valse.

C'était une tradition à l'école de donner des leçons de danse aux finissants. C'est donc avec plaisir qu'ils se rassemblèrent tous au gymnase pour apprendre cette belle danse traditionnelle. Tous les couples se placèrent ensemble et ceux qui n'avaient pas de partenaire choisirent quelqu'un au hasard. Alizée chercha Zachary des yeux pendant un bon moment et constata rapidement qu'il n'était pas là. Soit il avait décidé de ne pas venir, soit il avait oublié. Elle fut très déçue et regarda autour d'elle afin de repérer un compagnon potentiel. Yannick était seul, lui aussi. Il discutait avec Laurent, qui tenait la main de Charlotte. Sarah était aussi près d'eux. Alizée se dirigea vers le petit groupe, tout en se demandant si son amie allait réquisitionner Yannick comme partenaire, mais cette dernière remarqua rapidement qu'Alizée était seule.

— Yannick, tu devrais danser avec Alizée, proposa-t-elle au jeune homme.

Il eut l'air surpris de la proposition, mais comme la jeune fille se planta devant lui, il acquiesça d'un mouvement de tête. Alizée remercia son amie à l'aide d'un clin d'œil et Sarah lui fit un petit sourire en coin.

— Et toi, Sarah, tu vas danser avec qui? demanda Charlotte.

— Je vais demander à M. Tessier de me montrer, décida-t-elle. Je vois qu'il n'a plus de partenaire depuis que Mme Villeneuve l'a laissé à lui-même.

En effet, l'ancien enseignant de français d'Alizée se tenait dans un coin du gymnase, se demandant sans doute ce qu'il faisait là. Il avait été recruté à la dernière minute par Mme Villeneuve, qui cherchait un partenaire. Il regrettait de s'être vanté d'être un excellent valseur, car voilà qu'il était pris pour démontrer son talent. Alizée ressentit une petite pointe de jalousie en voyant Sarah se diriger à grands pas vers lui. Elle aussi aurait aimé danser avec son ancien enseignant. Elle avait eu un gros béguin pour lui en troisième secondaire, ça aurait été plaisant qu'il lui tienne la taille. Mais bon. Yannick ferait tout aussi bien l'affaire.

— Tu es prêt ? demanda-t-elle.

— Oui, commençons, si on veut finir. Je ne peux pas dire que la danse soit mon passe-temps favori.

La musique commença et les élèves tentèrent de reproduire ce que leur enseignante leur avait montré quelques minutes plus tôt. Il y eut beaucoup de fous rires et de pieds écrasés. Au troisième essai, la plupart avaient saisi l'essentiel des mouvements et il était presque possible de dire qu'une certaine harmonie régnait entre les danseurs. Alizée ne s'était jamais sentie aussi proche de Yannick. C'était leur premier contact, à part la fois où elle lui avait sauté dans les bras quand elle avait appris qu'elle allait à New York.

— Pour un gars qui ne sait pas danser, tu es vraiment bon, lui fit-elle remarquer.

— Je n'ai pas dit que je ne sais pas danser, j'ai dit que je n'aime pas danser. Quand ma sœur a eu son bal, elle m'a fait pratiquer la valse avec elle pendant au moins un mois.

— Tu étais gentil d'accepter…

— Elle me payait avec des bonbons.

Alizée éclata de rire. Yannick avait le don d'être comique. La danse s'acheva. Sarah et M. Tessier avaient impressionné la galerie. L'adolescente savait danser, elle aussi, chose qu'elle avait cachée à ses amies.

— Où as-tu appris à valser ? lui demanda Alizée alors qu'elle les rejoignit après avoir remercié l'enseignant pour la belle danse.

— L'année passée, pendant mon stage à Banff, il y a eu un bal et on a eu droit à des cours de valse.

— Tu nous avais jamais dit ça, dit Charlotte.

— Je ne peux pas vous parler de tout, quand même!

— Bon, je propose qu'on aille manger au resto en bas de la côte, suggéra Laurent. Il fait *full* beau, il faut en profiter. Ça vous dit?

— Oh oui! répondit Charlotte, visiblement sous le charme du garçon. Bonne idée!

Le petit groupe se dirigea vers le restaurant, effectuant quelques pas de valse exagérés au passage. Ils s'amusèrent comme des fous, riant des blagues incessantes de Laurent, qu'Alizée ne connaissait pas beaucoup, mais qu'elle commençait à aimer. Elle comprenait maintenant ce qui, en lui, avait attiré son amie. Tout au long du repas, elle se tint près de Yannick, bavardant avec lui, essayant de retrouver leur complicité d'autrefois. Il restait poli et charmant, mais elle sentait que quelque chose s'était brisé entre eux et ça lui faisait beaucoup de peine.

— J'ai hâte à la remise des diplômes la semaine prochaine, dit Charlotte en remontant la côte qui les menait à l'école.

— Ah oui! Ça va être vraiment *nice* de mettre la toge et d'avoir un chapeau sur la tête, ajouta Laurent.

— Ça s'appelle un mortier, le corrigea Sarah. Saviez-vous qu'on change le gland de côté une fois qu'on a reçu son diplôme? C'est la tradition.

— Quoi? Y a un pénis sur le mortier, blagua Laurent en faisant référence au «gland».

Le jeune homme était mort de rire, comme s'il venait de faire la farce de l'année. Les trois filles roulèrent des yeux. Les gars pouvaient tellement être immatures des fois.

Le jour de la remise des diplômes, Laurent put constater par lui-même qu'aucun pénis ne décorait son «chapeau». Les enseignants qui organisaient la cérémonie s'étaient vraiment dépassés. Ils expliquèrent le protocole aux élèves. C'était assez simple. Ils seraient placés en file, en ordre alphabétique, et ils entreraient à l'auditorium sous les applaudissements des parents, au son d'une musique de cérémonie. Tout l'après-midi, les jeunes essayèrent des toges, les filles se maquillèrent et tentèrent de placer leur mortier de façon à être à leur avantage. Le soir, il fallut une bonne demi-heure pour placer tout ce beau monde en ordre alphabétique, sans pagaille. Étant donné leur nom de famille, comme dans le cours de science, Yannick et Alizée furent placés l'un en arrière de l'autre. La jeune fille ne put s'empêcher de le trouver séduisant dans sa toge. Celle-ci mettait ses épaules carrées en valeur et le bleu profond de son étole faisait ressortir la beauté de son regard. L'adolescente était comme hypnotisée par lui, ce qu'il ne manqua pas de remarquer. Plus loin dans la file, Zachary s'amusait à faire des doigts d'honneur à ses camarades, faisait le pitre avec son chapeau et clamait à cor et à cri qu'il y avait un pénis dessus, à cause du gland. Alizée roula des yeux. Cette blague était ridicule. Elle espéra que la conversation de son cavalier, au bal, aurait plus de contenu que ça.

— Une vraie lumière, ce Zachary, lui fit remarquer Yannick qui, comme tous les finissants, avait entendu ses commentaires ridicules.

Alizée ouvrit la bouche pour le défendre, mais réalisa qu'elle n'avait rien de bon à dire pour sa défense.

— Ouin, tu as raison, conclut-elle un peu gênée.

Elle ne fit aucun autre commentaire, peu fière de son choix, mais il était trop tard pour revenir en arrière. Les plans de table pour la soirée du bal étaient faits et, consciente de tout le casse-tête que cela pouvait engendrer, elle ne voulait pas tout chambouler quelques jours avant l'événement. Ce n'était qu'une soirée qui serait rapidement oubliée. D'ailleurs, elle n'avait pas vu le nom de Yannick sur la liste des invités. Il avait probablement décidé de ne pas participer au bal; il ne pouvait donc pas l'accompagner. Après avoir reçu le signal, les finissants déambulèrent fièrement, sous les applaudissements des parents. Comme ces derniers n'étaient pas invités le soir du bal, ils s'étaient tous déplacés pour l'événement. Sa mère, Jacques et même Charles étaient présents, ce dernier étant assis deux rangées en arrière de Nancy. C'était une belle surprise pour Alizée, qui ne s'attendait pas à le voir là. Plusieurs prix académiques furent remis et une fille qui excellait dans toutes les matières fit un discours émouvant sur la réussite scolaire. Alizée trouva cela fort ennuyant, mais applaudit comme tout le monde à la fin de l'allocution. Puis, tous les élèves furent félicités officiellement et ils lancèrent gaiement leur chapeau dans les airs, comme dans les films américains. C'était phénoménal de voir tous ces chapeaux virevolter d'un bord et de l'autre. Une fois les diplômes remis et les mortiers ramassés, il y eut une petite fête avec du gâteau et des boissons. Les parents jasèrent entre eux et Alizée en profita pour présenter Yannick à Charles. Les deux hommes discutèrent informatique et, à la grande surprise de l'adolescente, son partenaire de physique avait une grande connaissance dans le domaine. Les parents partirent un peu plus tard, mais les jeunes restèrent plus longtemps, terminant le gâteau et félicitant les organisateurs pour leur bon travail. Alors qu'ils se dirigeaient vers la sortie, Alizée fut surprise de voir Charles discuter avec Jacques comme s'ils étaient de vieux amis. Elle observa sa mère un moment, pour voir comment elle gérait cela, mais Nancy avait l'air parfaitement calme et sereine. Alizée constata donc que sa mère s'était bien remise de sa séparation avec Charles et semblait même vraiment heureuse avec Jacques. Tout allait bien pour elle !

La période d'examens fut ardue pour les élèves de cinquième secondaire, mais une fois les évaluations terminées, l'événement tant attendu arriva enfin. Alizée et Yannick avaient passé beaucoup de temps ensemble au cours des semaines précédant la fin de l'année, mais ils n'avaient jamais reparlé du bal depuis leur dernière discussion au cinéma. Comme si cette journée n'existait pas ! Le jour J, à l'instar de toutes les autres filles, Alizée se rendit chez la coiffeuse avec sa mère, qui était excitée comme une puce. Puis, elle alla se faire maquiller en compagnie de Charlotte et de Sarah. Le trio dîna ensemble chez Alizée et Nancy ouvrit encore une bouteille de mousseux pour l'occasion. Ça devenait une tradition! En fin d'après-midi, les amies se quittèrent pour aller enfiler leur robe et veiller aux derniers préparatifs. Charlotte et Sarah avaient loué une limousine et s'y rendaient avec leur cavalier. Finalement, Sarah accompagnait un garçon qui suivait des cours d'art avec elle. Ce dernier étant ami avec Laurent, ils avaient décidé de se rendre au bal tous ensemble. Alizée, de son côté, ne savait pas trop encore comment elle allait s'y rendre. Zachary lui avait simplement dit qu'il passerait la chercher, mais il n'avait pas spécifié dans quel véhicule. Peu de temps avant qu'il ne se présente chez elle, l'adolescente retoucha son maquillage et revêtit sa robe. Elle était nerveuse, elle qui, généralement, était assez confiante. Enfin prête, elle enfila ses souliers et se planta devant son miroir. L'image qui se reflétait était magnifique, mais la jeune fille qu'elle voyait devant elle avait de la difficulté à sourire. Alizée fit un effort, mais ça manquait de naturel. Tout était parfait : pourquoi ne pouvait-elle pas tout simplement profiter du moment présent? Elle remarqua que ses nouveaux souliers lui faisaient déjà mal aux pieds. Elle aurait dû les porter un peu pour les casser avant le bal. La soirée serait longue… Alors qu'elle pensait à la façon dont elle pourrait glisser subtilement une paire de gougounes dans son sac à main, en cas d'urgence, Nancy cogna à la porte et entra, Laurier dans les bras. Le bébé faisait des dents et il bavait comme un fou.

— Ne l'approche pas de ma robe! Il va la salir. Surtout qu'elle est blanche…

— Ne t'inquiète pas, lui dit Nancy en déposant son fardeau sur le lit d'Alizée. Il ne te bavera pas dessus, n'est-ce pas, mon bébé?

Le bébé en question fit un grand sourire baveux à l'adolescente. Cette dernière ne put s'empêcher de fondre devant cette marque d'affection.

— Tu es magnifique, ma grande! Je suis si fière de toi! s'exclama Nancy.

— Merci, maman.

— Quand tu seras prête, monte dans la cuisine. Jacques aimerait prendre quelques photos dehors devant le rosier. Oh! À quelle heure ton cavalier arrive?

Alizée se tourna vers son réveil. Il lui restait une bonne demi-heure avant l'arrivée de Zachary. Jacques débula dans la chambre au même instant, une belle boîte cadeau entre les mains. Avec tout ce monde dans la pièce, il commençait à manquer de place…

— C'est pour toi, Alizée, dit-il simplement.

Nancy fronça les sourcils.

— Je ne savais pas que tu lui avais acheté un cadeau, lui dit-elle.

— Ça ne vient pas de moi, quelqu'un vient de le livrer.

— Ah oui? demanda Alizée en reluquant la boîte rectangulaire à la recherche d'une carte. Qu'est-ce que le livreur t'a dit?

— Rien de bien spécial. Il avait peur d'être arrivé en retard. Au début, je pensais que c'était ton cavalier, ajouta-t-il en riant. J'ai failli lui dire de retourner chez lui se changer.

Nancy rit de sa bonne blague. Alizée, elle, était trop occupée à déballer le cadeau qui était enveloppé dans un superbe papier à motifs blancs et noirs. Une fois l'emballage retiré, elle resta un moment interdite lorsqu'elle reconnut la griffe Michael Kors sur la boîte. Elle jeta un regard à Nancy qui semblait aussi éberluée qu'elle. Même Laurier avait arrêté de babiller, comme s'il était conscient que le moment méritait un silence respectueux. Alizée ouvrit la boîte et reconnut les superbes sandales plates qu'elle avait essayées au magasin avec sa mère, juste avant d'acheter celles à talons hauts qui lui martyrisaient déjà les pieds.

— Wow! s'exclama-t-elle. Elles sont vraiment pour moi? C'est une blague ou quoi?

— Je ne pense pas, dit Nancy. Je me demande qui peut bien te les envoyer.

— La seule qui était au courant pour ces sandales, c'est Charlotte. Je serais étonnée qu'elle m'ait fait un cadeau semblable...

Alizée réfléchit un instant, son cadeau toujours en main. Puis, elle s'installa sur son lit, enleva ses autres sandales, les remit dans leur boîte et enfila les Michael Kors. Elles lui allaient comme un gant et rehaussaient vraiment la beauté de sa robe. Comme celle-ci était plus courte à l'avant, on les voyait très bien. Toutefois, avec les souliers plats, sa robe traînait par terre en arrière. Il y avait des risques pour que quelques personnes marchent dessus, mais elle s'en moquait. Robe ou pas, elle allait au bal avec son cadeau.

— Tu pourras rapporter les autres sandales au magasin, dit-elle à sa mère. Je vais mettre celles-là, ce soir.

— Tu es certaine? Ta robe va traîner par terre...

— Pas grave. Je la ferai laver, au pire.

— C'est une bonne idée, intervint Jacques. C'est évident que c'est un présent pour le bal. La personne qui te les a offertes s'attend certainement à ce que tu les portes ce soir. Allez ! Montons prendre des photos avant que ton copain arrive. Je veux faire quelques prises dans la cour devant le rosier et le pommier en fleurs. Ce sera magnifique !

Alizée prit son sac à main. Inutile d'y glisser des gougounes de secours, ses Michael Kors étaient aussi confortables que des pantoufles. Elle se prêta au jeu des photos, même si elle trouvait les poses quétaines, et sourit à la caméra jusqu'à ce que Zachary arrive au volant d'une belle Audi décapotable blanche. Les bancs en cuir étaient noirs : c'était vraiment concept avec le thème noir et blanc. Il complimenta Alizée sur sa beauté, en la reluquant de bas en haut sans gêne, ce qui ne plut pas vraiment à Nancy. Elle savait très bien ce que les garçons avaient en tête le soir du bal et elle espérait que sa fille serait assez intelligente pour ne pas tomber dans le panneau. Il offrit un corsage de fleurs à Alizée, comme le voulait la tradition. Elle le revêtit à son poignet, puis prit quelques photos supplémentaires avec Zachary qui exhiba son plus beau sourire. Les clichés étaient superbes ; c'était indéniable, puisque le couple était à couper le souffle. Après une séance photo qui leur parut interminable, ils prirent finalement le chemin du bal. Ils s'obstinèrent quelques minutes concernant le toit ouvrant du véhicule. Alizée avait peur d'être décoiffée par le vent dans la décapotable, mais Zachary insista. Il voulait faire une entrée remarquée. Finalement, il n'y eut pas trop de vent et la coiffure d'Alizée fut épargnée. Ils discutèrent peu dans la voiture, chacun semblant perdu dans ses pensées. L'excitation les gagna lorsqu'ils arrivèrent près de l'hôtel où avait lieu l'événement. Zachary avait raison : leur entrée fut sensationnelle. Il y avait plusieurs limousines, mais rien de comparable à l'Audi. Il était encore tôt, mais déjà, les filles en robe et les garçons en habit commençaient à s'agglutiner sur le trottoir.

— Ça fait drôle de voir tout le monde bien habillé, dit Alizée. Les filles maquillées, avec leur belle robe... C'est beau à voir.

— Il n'y a pas un couple qui nous arrive à la cheville, conclut Zachary.

Alizée fronça les sourcils. C'est vrai qu'ils formaient un beau couple, mais elle n'était pas prête à dire que Zachary était le plus beau gars de l'école. Il y en avait plusieurs qui avaient fière allure dans leur smoking. Cela lui fit penser à Yannick. Quel genre d'habit aurait-il revêtu pour l'occasion ? Était-il plus du genre cravate ou nœud papillon ? Zachary stationna sa voiture et ils marchèrent jusqu'à l'entrée. La robe d'Alizée traînait par terre et commençait déjà à se salir. *Tant pis,* se dit-elle.

— Allez, poupée. Tu es prête?

Poupée? Non, mais il se prenait pour qui, exactement? Elle n'était pas sa poupée… Elle serra les dents et tenta de sourire au groupe de personnes qui bavardaient gaiement.

— Tiens! Je vois Charlotte et Sarah. Allons les voir, dit Alizée en tirant Zachary par le bras.

— Nan! J'les aime pas, ces filles-là. Elles sont pas assez *cool*. Tiens, il y a Brandon là-bas. On va aller lui parler. Mais parle pas trop à Mélanie, ils ont cassé hier, pis elle est pas trop contente ç'a l'air…

La Mélanie en question portait une robe noire très décolletée et ses seins lui remontaient jusqu'au cou. Si Charlotte et Sarah avaient été avec elle, elle leur aurait dit que Mélanie avait tout de la salope parfaite. Malheureusement, elle n'avait personne avec qui partager sa théorie.

— Quoi? Ils ont cassé, mais ils viennent ensemble au bal? C'est niaiseux, dit Alizée au lieu de lui faire part de son commentaire peu flatteur sur les seins de la fille en question.

Son cavalier haussa les épaules.

— Il sait qu'il a des chances de coucher avec elle quand même. Sinon, je vois pas pourquoi il aurait pris la peine de l'accompagner…

Mon Dieu! Qu'avait-elle fait? Ça faisait à peine vingt minutes qu'elle était avec Zachary et elle avait envie de le gifler. Quel gros con! En jetant un regard désolé vers Sarah et Charlotte, qu'elle trouvait très belles et qu'elle aurait voulu complimenter, elle suivit Zachary vers le couple qui se jetait des regards presque haineux. Si Brandon pensait vraiment qu'il avait une chance de coucher avec Mélanie ce soir-là, c'était qu'il ne connaissait vraiment rien à la psychologie féminine. Mélanie le regardait comme si elle avait envie de lui arracher les testicules.

— Salut! dit Zachary.

— Ça va, *man*? répondit Brandon.

Mélanie, elle, ne dit rien et sortit une cigarette de son sac à main. Elle baissa encore d'un cran dans l'estime d'Alizée. Les deux gars se serrèrent la main d'une façon qu'elle trouva idiote, puis Brandon ouvrit un pan de son veston pour montrer à son ami qu'il cachait une flasque d'alcool déjà bien entamée. Ils prirent tous les deux une bonne rasade de boisson, en offrirent aux filles qui dirent non de la tête, en burent une deuxième et le flacon retourna dans la poche de Brandon. Pendant ce temps, Alizée et Mélanie avaient à peine échangé deux mots. Elles s'étaient toutes les deux regardées de la tête aux pieds d'un œil critique, mais n'avaient pas tenté d'engager la conversation. La soirée promettait d'être longue. Les invités se déplacèrent à l'intérieur pour un cocktail avec des bouchées. Là, le même scénario se répéta. Zachary et Brandon parlèrent de choses et d'autres alors que leurs cavalières restaient à côté, les bras croisés. Cela sembla interminable à Alizée. Finalement, on invita les finissants à s'installer pour le repas. Il y avait certains avantages à être dans le comité du bal : Alizée avait une très bonne table. Même si elle ne gardait pas le compte, la jeune fille se douta que la flasque d'alcool devait être presque vide, car les gars à la table parlaient de plus en plus fort et disaient beaucoup de niaiseries. Elle échangea un regard avec Mélanie, qui semblait aussi consciente qu'elle de la situation, mais qui, au lieu de s'en mêler, pianotait sans cesse sur son téléphone. Alizée s'ennuyait ferme. Les gars ne faisaient que parler de football et de filles et chaque fois que l'un de leurs commentaires ne plaisait pas à Mélanie, elle lançait une réplique visant à blesser Brandon. Ce n'était agréable pour personne. Alizée perdit finalement patience quand elle remarqua que dès qu'une fille passait près de leur table, les gars leur donnaient une note sur cinq d'une façon qu'ils croyaient très subtile. Dans d'autres circonstances, Alizée aurait pu trouver cela drôle, mais ce soir-là, elle détermina que c'était de très mauvais goût. N'en pouvant plus, une fois son repas terminé, elle se leva et prit la direction de la table de Sarah et de Charlotte.

— Eh! où vas-tu bébé? entendit-elle derrière elle, mais elle n'en tint pas compte et continua son chemin.

Elle soupira en s'écrasant sur une chaise à côté de ses amies.

— Je vais mourir, ici! s'exclama-t-elle.

— Ça ne va pas? demanda Charlotte.

— Vraiment pas. Ultra mauvais choix de cavalier. Je pense que je vais lui arracher la tête, pire, la langue, avant la fin de la soirée.

Son commentaire fit rire ses amies, ce qui la détendit un peu.

— Vous êtes vraiment belles, les filles! dit-elle sincèrement.

— Toi aussi, renchérit Charlotte. Ton idée de bal noir et blanc était excellente.

Alizée regarda autour d'elle, satisfaite. Pour la première fois de la soirée, elle se détendait et pouvait profiter de l'ambiance. La salle était bien décorée, les gens avaient fait preuve d'originalité dans leur tenue et les centres de tables de Sarah étaient spectaculaires. Tout était parfait! Il ne manquait qu'une personne pour rendre ce cadre féérique, mais Alizée préféra ne pas y penser. En regardant autour d'elle, elle remarqua que tous les convives avaient quitté la table qu'elle occupait quelques minutes plus tôt. C'était étrange. Puis, elle se tourna et aperçut Jasmine. Cette dernière portait une robe blanche, mais avec sa peau très pâle, à l'inverse d'Alizée et son teint doré, elle avait presque l'air d'un fantôme.

— Vous ne trouvez pas que Jasmine aurait dû choisir une robe noire? fit-elle remarquer à ses amies. Je trouve que le blanc ne l'avantage vraiment pas. Elle aurait dû prendre le temps de se faire bronzer un peu, au moins.

Sarah et Charlotte échangèrent un sourire, reconnaissant bien leur amie avec ses remarques bien senties. Alizée évoluait et devenait plus gentille avec le temps, mais elle garderait toujours son sens critique très aiguisé. Toutefois, en observant Jasmine, un commentaire vint à l'esprit de l'adolescente, mais celui-là, elle le garda pour elle. Le cavalier de Jasmine était loin d'être un prince charmant. Il avait un gros nez et un début de calvitie. Et malgré cela, la jeune fille ne semblait pas embarrassée d'être en sa compagnie, elle qui avait ri ouvertement de Yannick quelques semaines plus tôt. Finalement, s'il l'avait accompagnée, peut-être que Jasmine ne se serait pas moquée d'eux comme Alizée l'avait prédit. Cela lui fit regretter encore plus son choix de ne pas avoir attendu l'invitation tant convoitée de son partenaire de physique. Soudain, elle eut envie de quitter la fête, de tout laisser en plan. Elle n'aimait pas sa soirée, de toute façon.

— En tout cas, tes sandales sont vraiment belles. J'ai entendu plein de filles dire qu'elles auraient aimé avoir les mêmes.

Le commentaire de Sarah la prit par surprise. Elle avait oublié ses Michael Kors et les regarda comme si elle les découvrait pour la première fois.

— C'est un cadeau-surprise que j'ai reçu avant le bal, dit-elle.

— De Zachary ? s'étonna Sarah.

— Non, un admirateur secret.

Charlotte détourna le regard. Alizée savait qu'elle n'était pas capable de mentir et que c'était pour ça qu'elle évitait de la regarder. En plus, c'était certain qu'elle était complice, car elle était la seule qui savait qu'elle avait eu un coup de cœur pour ces sandales.

— Charlotte, tu ne saurais pas, par hasard, de qui elles viennent ? demanda Alizée.

— Non, mentit-elle.

— Charlotte, je te connais depuis assez longtemps pour savoir que tu ne sais pas mentir, continua Alizée. Dis-moi qui me les a achetées. Pas toi, quand même ?

— Ben non, c'est pas moi ! Je les aurais prises pour moi ! OK, je vais le dire. En fait, je ne suis pas certaine à cent pour cent, mais j'ai ma petite idée. Je pense que c'est Yannick.

Alizée sentit son cœur s'emballer. Enfin un gars qui savait faire un vrai cadeau à une fille. Rien à voir avec le corsage *cheap* qu'elle avait au bras depuis le début de la soirée.

— Comment tu peux juste penser que c'est lui ? C'est lui ou pas ? demanda Sarah. Il me semble que ça devrait être clair.

— Je pense que c'est lui. En fait, je suis pas mal sûre… je ne vois pas qui d'autre.

Elle se tourna vers Alizée pour lui expliquer comment tout s'était passé.

— Tsé, quand tu m'as envoyé la photo des sandales, j'étais avec Laurent. Je lui ai montré la photo, mais il a juste haussé les épaules. Lui, une paire de souliers ou une autre… puis, ça a adonné que Yannick est arrivé. Je lui ai juste demandé s'il les aimait, pour voir s'il s'intéressait plus aux souliers que Laurent. Il a dû voir que le message venait de toi !

— Et il se serait souvenu du modèle de sandales ? Il est vraiment fort ! commenta Sarah, impressionnée.

— Ben, je lui ai dit que j'ai toujours rêvé de pouvoir m'acheter des Michael Kors. Ça a dû aider, ajouta Charlotte.

Alizée n'en revenait pas que Yannick ait dépensé autant pour lui faire plaisir, même si elle lui avait fait l'affront d'accepter l'invitation de quelqu'un d'autre au bal. Il fallait qu'elle lui parle immédiatement. Elle devait absolument s'excuser et lui dire qu'elle regrettait de ne pas avoir attendu qu'il l'invite. La soirée était un véritable fiasco, mais il n'était pas trop tard pour que ça change. Elle se leva et regarda autour d'elle à la recherche de la sortie la plus proche.

— Qu'est-ce que tu fais, Alizée ? demanda Charlotte, surprise.

— Je dois sortir d'ici et aller voir Yannick pour m'excuser.

— Tu vas partir comme ça ? La soirée est à peine commencée…

— Peu importe. Je m'en fous. Je veux partir.

— Il doit y avoir des taxis à l'extérieur, lui dit Sarah.

— C'est vrai. Merci! répondit Alizée en agrippant son sac à main qu'elle avait laissé sur la table.

— Bonne chance, entendit-elle de la part de Sarah.

— C'est tellement romantique! dit Charlotte à son tour.

Alizée marcha à grands pas vers la sortie, mais avant qu'elle franchisse la porte, quelque chose attira son attention. Accotés sur un mur à côté des toilettes, Zachary et Mélanie s'embrassaient à pleine bouche. Alizée avait tout de suite reconnu sa longue chevelure blonde et sa robe noire trop courte. Son cavalier n'avait sans doute pas tort, finalement, quand il avait dit que quelqu'un se la «taperait» ce soir-là. Il y avait erreur sur le partenaire, mais le résultat restait le même. Quelle salope, cette Mélanie! Au moins, en embrassant la cavalière de son meilleur ami, il oublierait qu'Alizée l'avait planté là en plein milieu de la soirée. L'espace d'un instant, l'adolescente eut envie d'aller leur faire une fausse scène de jalousie, juste pour le plaisir de voir leur réaction, mais elle se retint: elle avait une autre mission beaucoup plus importante à accomplir. Elle sortit finalement de l'édifice et, comme Sarah l'avait prédit, plusieurs taxis attendaient devant. Elle sauta dans celui qui était le plus près et claqua la porte derrière elle, faisant sursauter le chauffeur.

— Oh! je suis désolé, mademoiselle, mais vous devez prendre le premier taxi en avant de la file.

— Je suis pressée, démarrez, s'il vous plaît.

— Je ne peux pas, c'est le protocole. Allez vous installer dans le premier taxi. Je ne bouge pas d'ici!

Alizée soupira. Pourquoi fallait-il que ce stupide chauffeur respecte le « protocole »? Elle sortit quand même du véhicule et courut jusqu'au premier. Au moins, ce chauffeur-là démarra rapidement. Tant pis pour l'autre! Alizée indiqua au conducteur à quel endroit elle voulait aller, puis elle se plongea dans ses pensées. C'était beau de partir sur un coup de tête, mais encore fallait-il qu'elle réfléchisse à ce qu'elle allait dire à Yannick.

— On dirait que vous vous enfuyez de votre mariage, lui fit remarquer le chauffeur, sans doute à cause de sa robe blanche.

Franchement! Elle n'avait que dix-sept ans! Qui se mariait à cet âge? Bon, elle avait peut-être l'air plus vieille que ça, mais tout de même... il exagérait. Elle préféra s'abstenir de tout commentaire et laissa son regard errer par la fenêtre.

Heureusement, la route fut courte. Alizée paya le chauffeur, puis sortit devant la maison de Yannick. Il était environ vingt et une heures, mais toutes les lumières à l'étage étaient éteintes. La jeune fille hésita devant le pas de la porte. Devait-elle sonner et risquer de réveiller tout le monde? Elle sortit son cellulaire pour envoyer un message texte au garçon, mais son téléphone était à plat. Elle aurait dû le recharger avant de partir, mais elle avait complètement oublié… Regardant autour d'elle à la recherche d'une solution, elle se rappela que la chambre du jeune homme était située au sous-sol. S'il était à la maison, il y avait de bonnes chances pour qu'il s'y trouve. Comme elle l'avait fait l'année précédente, alors qu'elle était mal prise au milieu de la nuit et qu'elle cherchait à se réfugier chez son amie Amélie dont la chambre était située au sous-sol de la maison familiale, Alizée pénétra dans la cour de Yannick, dans l'intention d'aller frapper à sa fenêtre. Ce qu'elle avait à lui dire ne pouvait pas attendre au lende-main. Il avait plu la veille et sa robe, qui traînait toujours par terre, se macula rapidement de boue. Elle s'en fichait. Mais elle fit tout de même très attention pour que ses sandales restent propres. Instinctivement, elle se dirigea vers la seule fenêtre illuminée, priant pour que ce soit bien Yannick qui se trouve au sous-sol. La dernière chose qu'elle voulait, c'était de surprendre sa mère ou son père. Il y avait des risques à s'introduire dans la cour des gens pour espionner par la fenêtre. Alizée se pencha et regarda par l'ouverture. C'était bien le jeune homme qui était au sous-sol. Il regardait la télévision, mais semblait aussi perdu dans ses pensées. Son cellulaire était posé juste à côté de lui, comme s'il attendait un appel qui ne venait pas. Alizée sentit son ventre se nouer et les papillons reprirent leur manège habituel. Voilà, son choix était fait et elle était prête à l'assumer. Il ne lui restait qu'à attirer l'attention de Yannick et à trouver les bons mots pour s'excuser.

10
LES SENTIMENTS

Alors qu'elle s'apprêtait à frapper dans la fenêtre, quelqu'un tapota l'épaule d'Alizée et elle sursauta violemment avant de tomber sur les fesses, directement dans une flaque de boue.

— Mais qu'est-ce que tu fais là? chuchota-t-elle d'un ton fâché à l'adresse de Charlotte qui la regardait, la main plaquée sur la bouche pour ne pas rire de sa chute.

— On ne voulait pas manquer ça, expliqua-t-elle en l'aidant à se relever. C'est si romantique!

— Qui ça, on?

Elle étira le cou et aperçut Sarah et Laurent qui lui faisaient de grands signes de la main à l'entrée de la cour. Derrière eux se tenait le cavalier de Sarah, qui avait vraiment l'air de se demander ce qu'il faisait là.

— Franchement, dit Alizée. Vous êtes pas gênés.

Charlotte haussa les épaules. Pour une fois qu'elle surprenait son amie dans une position de vulnérabilité, ce n'était pas pour lui déplaire.

— On est plus comme un comité d'encouragement. On voulait être sûrs que tu ne te dégonflerais pas en cours de route. Maintenant qu'on est assurés que tu vas passer à l'acte, on va s'éclipser gentiment.

— Bon, parfait! Je ne tiens pas à m'exprimer devant un public complet. Oh, merde! Ma robe est toute sale.

— C'est pas grave. Ton joli petit visage est encore tout propre, lui dit Charlotte.

Alizée fit mine de la frapper, mais son amie s'esquiva rapidement, rejoignant les autres qui se dissimulèrent peu subtilement derrière un arbre en riant. C'était tout de même assez comique de voir ce petit groupe de jeunes trop bien habillés tenter de se cacher derrière le grand bouleau. Réalisant qu'elle n'arriverait pas à les faire déguerpir, Alizée se résolut à faire sa grande déclaration devant le petit groupe qui ricanait. Reprenant son courage à deux mains, elle frappa d'un coup sec dans la fenêtre. Ce fut au tour de Yannick de sursauter. Il s'attendait à un coup de fil de sa part, pas à une visite impromptue. Il sourit toutefois en la reconnaissant et vint ouvrir la fenêtre.

— Salut, beauté!

C'était la première fois qu'il se permettait un tel qualificatif et cela fit vraiment plaisir à Alizée. Rien à voir avec le «poupée» employé par Zachary un peu plus tôt.

— Salut, Yannick. Je te dérange?

— Pas du tout. Comme tu peux voir, je n'étais pas très occupé…

Un silence s'installa, les deux se jaugèrent, attendant que l'autre prenne la parole. Au loin, Alizée entendit les chuchotements de ses amis qui se demandaient ce qui se passait.

— Alors, tu veux qu'on continue de se parler à travers la moustiquaire ou tu préfères que je sorte? demanda Yannick.

— C'est sûr que ce serait plus confortable pour moi si tu sortais. Je ne peux pas dire que j'adore être à genoux, répondit Alizée.

— Bouge pas, j'arrive!

L'adolescente se releva et courut vers le grand arbre.

— Allez-vous-en, maintenant! dit-elle à ses amis.

— Mais on s'amuse bien, se plaignit Laurent.

— Elle a raison, conclut Sarah. On s'est bien amusés, comme tu dis, mais maintenant, le plaisir a assez duré. Laissons-leur un peu d'intimité.

Le garçon rechigna un peu, mais Charlotte le prit par la main et le conduisit à la limousine qui les attendait. Décidément, ses amies faisaient les choses en grand.

— On va retourner au bal, dit Sarah à Alizée. Venez nous rejoindre, si ça vous tente. Même s'il n'a pas d'habit, ce n'est pas très grave.

— OK. On verra. Merci!

Yannick, qui venait d'ouvrir la porte d'entrée, fut assez surpris de voir son ami Laurent embarquer dans la limousine et lui faire un signe de la main. Il se demandait ce que signifiait ce comité d'accueil. Alizée le rejoignit et, ensemble, ils regardèrent le véhicule faire demi-tour dans la petite rue. Cela relevait presque de l'exploit.

— Il y a quelque chose que je ne comprends pas. Tu es venue accompagnée de tout ce monde-là? demanda-t-il.

— Non, non. C'est une longue histoire.

Une fois la limousine disparue, Alizée se tourna vers le jeune homme, un peu gênée. Ça avait toujours l'air plus facile dans les films…

— J'ai remarqué que tu n'étais pas au bal, dit-elle finalement.

Wow, quel commentaire stupide !

— En effet, répondit-il. Je voulais venir, mais tout l'argent que j'avais pour me louer un smoking est passé ailleurs.

Il baissa les yeux vers les sandales Michael Kors, confirmant à Alizée qu'il était bien l'auteur du superbe cadeau.

— Elles sont en plein dans mes goûts !

Il lui fit un sourire en coin, content de sa surprise.

— Je t'avertis, par contre, je n'aurai pas les moyens de te faire des cadeaux de la sorte très souvent…

Alizée éclata de rire. Elle aimait vraiment son sens de l'humour.

— Ne t'inquiète pas pour ça.

— Je te dois des excuses, lui dit-il, la prenant par surprise.

— Ah oui ? Pourquoi ? Il me semble que c'est moi qui devrais m'excuser…

— Ton tour viendra. Je voulais m'excuser parce que je n'aurais pas dû attendre aussi longtemps avant de t'inviter à aller au bal.

— Je ne savais pas que tu voulais m'inviter, c'est toute une nouvelle ! blagua-t-elle.

— Mais si je l'avais fait, aurais-tu dit oui ?

Alizée réfléchit à sa question. Devait-elle dire la vérité ? Charles lui avait toujours dit que pour bâtir une relation saine, il fallait être honnête l'un envers l'autre. Elle n'était pas prête à dire qu'elle voulait passer sa vie avec Yannick, mais autant partir sur de bonnes bases, pas comme l'avait fait Cédrick l'été précédent.

— Ça aurait dépendu du temps de l'année, je pense. Mais je dirais que toutes les chances auraient été en ta faveur. Et je peux t'affirmer que si nous avions été ensemble, ma soirée aurait été mille fois mieux que celle que j'ai vécue… jusqu'à présent, en tout cas.

— Je suis désolé que ça se soit mal passé, dit-il.

— Vraiment ?

— Non, je mens un peu en disant cela, ajouta-t-il en riant.

— Il n'est pas trop tard pour en profiter. Qu'en penses-tu ? suggéra-t-elle.

— Bien, je n'ai rien de décent à mettre pour une soirée du genre.

— Regarde ma robe !

Elle tournoya sur elle-même, montrant sa robe blanche couverte de boue. Elle avait une grosse trace brune sur les fesses. Même ses sandales étaient crottées, finalement.

— Tu serais la plus belle même si tu portais un sac de patates, conclut-il.

Alizée s'apprêtait à protester, mais Yannick l'attira à lui et l'embrassa tendrement sur les lèvres. Elle fut d'abord surprise, mais se laissa aller et profita au maximum de l'étreinte. C'était le premier gars qu'elle embrassait officiellement. Ses lèvres étaient douces et il embrassait vraiment bien. Un concert de klaxons interrompit leur baiser. Ils se regardèrent en riant. Derrière eux, la limousine était revenue. Charlotte et Laurent avaient sorti leur tête du toit ouvrant et criaient des « Ouuuh ! » à tue-tête. Sarah ouvrit la porte en criant elle aussi : « Allez, les amoureux ! En route pour le bal ! »

Le chauffeur, payé pour la soirée, ne rechigna pas lorsqu'on lui demanda de faire un détour par la maison d'Alizée. Yannick avait pris quelques minutes pour se changer, mettant l'habit qu'il avait acheté pour un mariage quelques mois plus tôt et qui était assez bien pour l'occasion. Comme il était bleu marine, il ne correspondait pas au thème noir et blanc, c'est pourquoi il avait eu l'intention de louer un smoking pour le bal. Ce n'était pas grave parce qu'Alizée, arrivée chez elle, revêtit la robe lavande que sa mère lui avait fait faire pour son mariage. Les deux détonneraient dans le décor, mais ils s'en fichaient : tant qu'ils étaient ensemble, c'était tout ce qui comptait. Nancy faillit tomber de sa chaise quand elle vit sa fille entrer, sa robe blanche en piteux état. Dans un premier temps, elle pensa qu'Alizée avait été attaquée, puis le petit groupe déboula dans son salon et chacun entreprit de lui raconter la soirée en détail. Nancy fut très contente de voir que les amies de sa fille étaient aussi dévouées pour elle. L'adolescente se changea rapidement et après quelques photos supplémentaires, le salon se vida aussi vite qu'il s'était rempli. En route pour le bal, prise deux ! À l'intérieur de la limousine, alors qu'ils s'apprêtaient à demander au chauffeur de démarrer, les jeunes virent Jacques leur faire signe d'attendre un instant. En compagnie de Nancy, il les rejoignit, des verres en plastique dans les mains.

— Je vous offre un petit *drink* pour la route. Juste un! C'est clair. Je ne veux pas d'excès ce soir, mais il faut quand même en profiter!

Il fit un clin d'œil au chauffeur qui fit comme s'il n'avait rien vu. Après tout, il transportait des mineurs. Il ferma la vitre qui les séparait et conduisit son petit groupe heureux. Tout au long du chemin, Alizée et Yannick se tinrent la main et ne purent s'empêcher de s'échanger des sourires. Les jeunes arrivèrent au bal juste à temps pour la valse. Le nouveau couple, dans son accoutrement différent, détonnait dans la foule. Yannick n'était pas habitué d'attirer l'attention de la sorte, mais il fallait qu'il s'y fasse : Alizée n'était pas du genre à se fondre dans la masse. Il prit sa partenaire par la taille et ils valsèrent en compagnie de leurs amis, qui s'amusèrent tout autant qu'eux. Finalement, la fin de la soirée fut mémorable. L'adolescente ne revit pas Zachary; il devait être avec Mélanie ou en train de cuver son alcool quelque part. Alizée s'en fichait. Elle était avec Yannick et c'était tout ce qui comptait. Dommage qu'il lui ait fallu tout ce temps pour s'en rendre compte…

ÉPILOGUE

Comme chaque année, l'été passa beaucoup trop rapidement pour les jeunes en vacances. Même si la plupart d'entre eux travaillaient toute la semaine, ils trouvaient toujours du temps pour se voir et profiter du beau temps. Le petit groupe formé de Laurent, Charlotte, Sarah, Alizée et Yannick était devenu inséparable. Le seul moment où ils s'étaient moins vus était quand Sarah était allée voir son chum à Banff. Contrairement à ce qu'Alizée avait prédit en début d'année, la relation de la jeune fille avec son copain albertain avait résisté à la distance et son amie était plus amoureuse que jamais. Elle pensait même déménager là-bas dès qu'elle aurait dix-huit ans, au grand déplaisir de Charlotte qui n'avait pas envie de perdre sa meilleure copine. Toutefois, depuis qu'elle sortait avec Laurent, elle avait moins besoin de son amie pour s'épanouir. De son côté, Alizée reprit son emploi au club de golf. Comme Jacques ne pouvait pas lui garantir autant d'heures à la clinique, elle avait préféré choisir quelque chose qui lui permettait de gagner un meilleur salaire. En plus, Yannick aussi avait été engagé dans l'établissement. Le petit couple pratiquait donc le golf plusieurs fois par semaine, aux frais du club, ce qui leur plaisait bien. Les nouveaux amoureux pouvaient ainsi passer beaucoup de temps ensemble, ce qui leur permettait d'apprendre à se connaître davantage.

Durant les vacances, Alizée garda aussi Laurier quelques jours d'affilée pendant que Nancy et Jacques allaient fêter leur anniversaire de mariage à Las Vegas. La jeune fille ne le dit pas à sa mère, mais elle invita Yannick à coucher chez elle pendant toute la durée du week-end. Malgré la proximité du petit garçon à l'étage, ils en profitèrent pour faire l'amour pour la première fois. Alizée était vraiment amoureuse de Yannick, ce qui rendit le moment encore plus extraordinaire. Ils furent déçus de voir revenir Jacques et Nancy aussi vite. Ils s'étaient habitués à leur début d'intimité. Si Nancy se douta que Yannick avait passé les derniers jours chez elle, elle n'en dit rien à sa fille. Après tout, elle avait plus de dix-sept ans.

— Alizée! Te voilà! s'écria Charlotte en apercevant son amie.

C'était bien Charlotte, ça! L'attendre devant la porte du cégep, comme elle avait l'habitude de le faire lorsqu'elles fréquentaient l'école secondaire… Cela rassura Alizée de voir son amie. Commencer l'année scolaire dans un nouvel établissement était toujours un peu stressant et la jeune fille avait mal dormi la nuit précédente. Les années du secondaire étaient terminées et une nouvelle époque commençait : celle où l'on devenait adulte. Yannick avait proposé de l'accompagner même s'il n'avait pas de cours ce matin-là. Son amoureux la connaissait bien. Il savait qu'elle était stressée même si elle prétendait le contraire, mais elle avait refusé son offre. Mieux valait affronter ses petites craintes toute seule. Et Charlotte était là, en plus.

— Je suis tellement contente d'être ici ! s'exclama cette dernière. C'est vraiment excitant. C'est dommage que Laurent ne commence pas en même temps que nous.

Même si ce dernier était venu au bal, il n'avait pas réussi à terminer tous ses cours et était inscrit à l'école des adultes pour acquérir les crédits qu'il lui manquait. Si tout allait comme prévu, il s'inscrirait au cégep à l'hiver. Charlotte, elle, était inscrite en session d'intégration. Elle avait une année de retard scolaire en français, mais elle la rattraperait facilement. Malgré tout, elle était juste trop contente de commencer le cégep en même temps que ses amies.

— As-tu vu Sarah ? demanda Alizée en pénétrant dans l'établissement.

— Pas encore. Je sais que son avion atterrissait assez tard, hier soir. Pauvre elle, elle doit déjà s'ennuyer de son chum.

— Faut pas exagérer. Encore hier elle était avec lui…

Alizée se rendit compte de la rudesse de son commentaire. Elle-même était avec Yannick la veille et elle s'ennuyait déjà de lui, de ses baisers, de ses caresses… Cette idée la fit frissonner. Il fallait qu'elle trouve une façon de mettre sa mère en dehors de la maison pour quelques heures, question d'avoir un peu de temps avec lui, dans sa chambre, sans que personne y entre pour mille et une raisons. Une chance que Nancy recommençait à travailler bientôt. Avec leur horaire du cégep, ils trouveraient bien quelques heures ici et là dans la journée pour profiter de la maison vide.

— Alizée, je te parle ! Tu m'écoutes ?

— Oui, oui ! Excuse-moi, j'étais dans la lune. Tu disais ?

— Je disais que jusqu'à maintenant, je n'ai vu personne que je connaissais vraiment. C'est drôle d'être entouré de plein d'étrangers. Je ne m'étais jamais rendu compte qu'il y avait autant de jeunes en âge d'aller au cégep dans notre ville…

— Hum, hum !

Alizée écoutait Charlotte d'une oreille distraite, trop occupée à admirer la beauté du bâtiment qui avait été rénové l'été même. Les amies allèrent récupérer leur horaire et trouvèrent leur casier respectif. Puis, elles s'installèrent quelques minutes à la cafétéria, après avoir repéré le local où avait lieu leur premier cours. Alizée repensa aux paroles de Charlotte concernant la clientèle de l'établissement et elle constata qu'elle avait effectivement raison. Ça faisait presque trente minutes qu'elles étaient là et elles n'avaient vu personne de leur connaissance. Pas de Jasmine, pas de fille du *cheers*, pas de Zachary, – il ne devait pas être assez futé pour avoir terminé son secondaire, de toute façon – aucun élève de leur ancienne école. Les gens, qui leur étaient totalement inconnus, étaient installés ici et là, feuilletaient des manuels scolaires ou regardaient leur iPad. Tout le monde se mêlait de ses affaires. Cela lui fit prendre conscience de la véracité des paroles de Charles à propos du cégep. Ici, il n'y aurait pas de commérages, pas de jugements : juste des gens qui étaient là pour étudier ou faire leurs petites affaires. Il n'y avait pas de concours de popularité et tout le monde avait oublié qui était la fille la plus populaire de l'école et pourquoi elle avait mérité ce statut. Les années du secondaire étaient révolues. Alizée était prête à tourner la page. Elle était passée par toute une gamme d'émotions dans les dernières années et un peu de calme dans sa vie ne lui ferait pas de tort. Être une fille populaire, ça voulait aussi dire surveiller tous ses faits et gestes et elle était tannée d'avoir à gérer ça. Toutefois, malgré tous les hauts et les bas du secondaire, elle en avait profité amplement et elle en ressortait gagnante grâce à ses amies et à Yannick. C'était ça, l'important!...

Découvrez les débuts d'Alizée Meilleur dans les deux tomes précédents de la série...

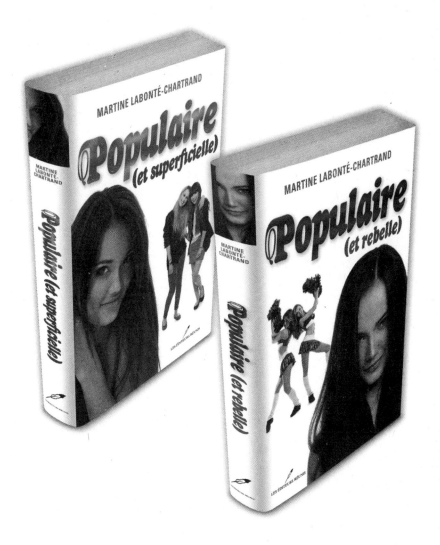

En vente partout.